LAS 100 COSAS MÁS PELIGROSAS DEL PLANETA

A New Burlington Book
Conceived, edited and designed by
Marshall Editions
The Old Brewery
6 Blundell Street
London N7 9BH
www.marshalleditions.com

Copyright © 2008 Marshall Editions
Translation Copyright © 2010 Scholastic Inc.

All rights reserved. No part of this book may be reproduced or transmitted in
any form or by any means, electronic or mechanical, including photocopying,
recording, or by any information storage-and-retrieval system, without
permission in writing from the copyright holder.

ISBN 13: 978-0-54526-788-5
ISBN 10: 1-84566-328-4

Publisher: Richard Green
Art director: Ivo Marloh
Managing editor: Paul Docherty
Design: Claire Harvey
Layout: 3rd-I
Production: Nikki Ingram
Picture research: Veneta Bullen

Printed and bound in China by Toppan Leefung Printing Ltd

10 9 8 7 6 5 4 3 2 1

Cover: tl Corbis/Renee Lynn; tr Getty/Image Bank/Tim Bradley; bl Corbis/Michele Falzone/
JAI; br Joanne Cowne

Anna Claybourne

SP
613.69
CLAYBOU
2010

LAS 100
COSAS MAS
PELIGROSAS
DEL PLANETA

ÍNDICE

Peligros humanos

INTRODUCCIÓN

Probablemente el mundo nunca haya tenido menos peligros para los seres humanos que ahora. La medicina moderna, los servicios de emergencia, las casas con climatización y las fuentes de agua pura han salvado millones de vidas. Por eso es que en la mayoría de los países la población está aumentando, y la gente vive más y más años.

UN MUNDO SALVAJE

Sin embargo, aún quedan peligros. La tecnología humana no puede controlar la fuerza de un volcán en erupción, la ola de 100 pies (30 m) producida por un maremoto, o un poderoso tornado. Y una gran parte de la Tierra está formada por áreas silvestres y océanos, donde una persona se puede perder fácilmente o encontrarse cara a cara con peligrosos animales.

CÓMO CUIDARNOS

Por supuesto, la mejor manera de cuidarse es evitar las situaciones peligrosas en primer lugar.

MANTÉN LA DISTANCIA

No vayas a lugares silvestres solo o sin el equipo adecuado. Siempre que sea posible, mantente alejado de cosas peligrosas como las que se describen en este libro, como las capas de hielo quebradizo, los animales venenosos o las áreas donde ocurren avalanchas frecuentes.

ADVERTENCIA

Este libro contiene los consejos más útiles para varias situaciones peligrosas. Sin embargo, estos consejos son sólo normas generales y no garantizan la seguridad de la persona que los usa. En ciertas situaciones peligrosas, a veces no existe una opción segura.

USA EL SENTIDO COMÚN

Nunca hagas cosas peligrosas por broma o por quedar como valiente. Si crees que algo puede ser peligroso, no lo hagas. Si otros lo están haciendo, trata de convencerlos de que no lo hagan, o busca ayuda para que dejen de hacerlo.

PRESTA ATENCIÓN A LAS ADVERTENCIAS

En muchos lugares peligrosos, como en los riscos o las playas con fuertes corrientes, hay letreros para advertir a los visitantes que es peligroso entrar, ¡no los ignores!

SIGUE LAS INSTRUCCIONES

Este libro contiene consejos útiles para diferentes situaciones. Sin embargo, en una situación *particular* como un terremoto o un encuentro con un animal peligroso, debes seguir las instrucciones que te den los guías, los servicios de emergencia o los sistemas de alerta de tu ciudad. Ellos sabrán mejor qué hacer ante un suceso específico.

El 22 de febrero de 1999, dos grandes avalanchas cayeron sobre el poblado de Evolene, en los Alpes suizos. Hubo doce muertos y más de una docena de desaparecidos.

FACTOR DE RIESGO

☠	**Casi nunca**
☠ ☠	**Poco probable**
☠ ☠ ☠	**Probable**
☠ ☠ ☠ ☠	**Muy probable**
☠ ☠ ☠ ☠ ☠	**Frecuente**

¿LO SABÍAS?

- Un rayo puede estar 6 veces más caliente que la superficie del Sol.
- Los hipopótamos matan a muchas más personas que los tiburones.
- Uno de los mayores peligros del desierto es el frío: las temperaturas pueden ser gélidas en la noche.

SIGUE LEYENDO...

PELIGROS

Parte de nuestro planeta sigue llena de peligros naturales. Podrías perderte en uno de los desiertos, las selvas, los océanos o las heladas regiones polares del mundo, o podrías encontrarte con un animal

NATURALES

peligroso como una serpiente o una araña venenosa.
Aun en casa nos pueden afectar desastres naturales
como los terremotos y los maremotos, o fenómenos
meteorológicos como los tornados y los rayos.

ERUPCIONES VOLCÁNICAS

Cuando un volcán entra en erupción expulsa lava (roca fundida), gases y ceniza. También lanza rocas sólidas al aire. Muchos volcanes han entrado muchas veces en erupción. Los científicos los estudian constantemente para avisarle a la gente en caso de peligro. Sin embargo, a veces la gente queda atrapada por la erupción.

QUÉ HACER

SI HAY UNA SEÑAL DE AVISO:

Sigue las instrucciones y sal del área, pero toma precauciones. Recuerda llevar mantas, comida y agua en caso de que tengas que pasar mucho tiempo en el camino.

SI UN VOLCÁN CERCANO ENTRA EN ERUPCIÓN:

Ve a un terreno elevado. Ponte ropa que te proteja de la ceniza volcánica. Usa anteojos de protección y cubre tu boca y tu nariz con una tela húmeda.

SI ESTÁS EN UN VOLCÁN EN ERUPCIÓN:

Ve a una cresta de la ladera de la montaña y evita los valles, arroyos y puentes. Busca rocas grandes que te puedan servir de refugio.

PELIGRO

FACTOR DE RIESGO: ☠ ☠ ☠
Cada año se producen sólo unas 60 erupciones.

SUPERVIVENCIA: 80%
Puedes escapar, incluso si te encuentras en el mismo volcán.

CONSEJO Si caen rocas, agáchate y cúbrete la cabeza.

FLUJO DE LAVA

Algunos volcanes entran en erupción calladamente. No hay ninguna explosión: la lava comienza a fluir por las laderas del volcán. Te puede tomar por sorpresa si fluye demasiado rápido o si cambia de dirección.

Los flujos de lava pueden ocurrir incluso donde no hay volcanes. A veces la lava fluye a la superficie de la Tierra en lugares inesperados, formando un nuevo volcán.

QUÉ HACER

SI OCURRE UN FLUJO DE LAVA:
Si la lava fluye en tu dirección, ve a un terreno alto. Mira para ver si hay otros flujos de lava y así evitar quedar atrapado. Aléjate del agua y las plantas; la lava puede explotar al hacer contacto con ellas.

SI TE RODEA LA LAVA:
Tienes que alejarte lo antes

MUY CALIENTE

La lava es roca fundida, y para que una roca se funda debe estar a mucha temperatura. Casi siempre, la lava está a 930 °F (500 °C), pero puede llegar a los 2,370 °F (1,300 °C).

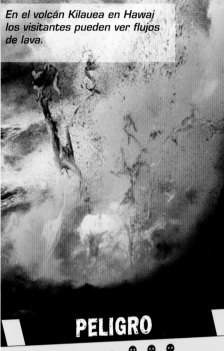

En el volcán Kilauea en Hawai los visitantes pueden ver flujos de lava.

PELIGRO

FACTOR DE RIESGO: ☠ ☠ ☠
La lava es un peligro para los miles de turistas que visitan volcanes activos.

SUPERVIVENCIA: 90%
Como casi siempre la lava fluye lentamente, es posible escapar del peligro.

posible mientras el flujo sea débil. Salta por encima de la lava o busca rocas que puedas pisar para escapar. No pises la lava fresca, incluso si parece que ya se ha solidificado.

EVITA QUEMADURAS:
Si hay un flujo de lava, usa botas de cuero, mangas largas y pantalones, guantes y gafas de sol o gafas protectoras. Si la lava salpica, voltea la cara.

FLUJO PIROCLÁSTICO

El flujo piroclástico es uno de los fenómenos volcánicos más peligrosos. Es una mezcla de gas, rocas y ceniza que baja por la ladera de los volcanes en erupción. Este tipo de flujo avanza rápidamente, como un río. De hecho, puede alcanzar velocidades de hasta 100 mph (160 kph) y temperaturas de hasta 1,300 °F (700 °C). ¡Hay que evitarlos a toda costa!

QUÉ HACER

SI UN FLUJO PIROCLÁSTICO SE ACERCA:

No puedes superar la velocidad del flujo corriendo, ni siquiera en auto. Trata de determinar hacia dónde va, y aléjate de su ruta. Huye hacia un lado y evita los terrenos bajos.

SI ESTÁS EN SU CAMINO:

Si un flujo piroclástico cae sobre ti, no hay nada que hacer. Pero si estás cerca del él, podrías sobrevivir. Escóndete detrás de una roca o en un refugio mientras pasa. Cúbrete la cabeza y aguanta la respiración. Respirar el gas caliente, el polvo y la ceniza puede destruir tus pulmones.

PELIGRO

FACTOR DE RIESGO: ☠

Los flujos piroclásticos son poco frecuentes; ocurren pocos cada año en todo el mundo.

SUPERVIVENCIA: 10%

Sólo puedes sobrevivirlo si escapas de su ruta.

¿LO SABÍAS?

Pompeya fue destruida por un flujo piroclástico en el 79 d.C. La ceniza se solidificó alrededor de las víctimas, formando espacios que tienen la forma de sus cuerpos.

FLUJO DE LODO O LAHAR

Un flujo de lodo volcánico, o lahar, es una mezcla de ceniza volcánica y agua. El agua puede provenir de fuertes lluvias, un lago, un río o de hielo y nieve derretidos por la erupción volcánica. Esa mezcla forma un lodo que fluye rápidamente hacia los valles y a veces sepulta pueblos enteros. Como si fuera un río, el lahar puede recorrer grandes distancias y llegar muy lejos de la erupción.

QUÉ HACER

SI HAY SEÑALES DE AVISO:
A veces, en áreas donde ocurren lahares, tienen sistemas de aviso. Sigue las instrucciones que se den y aléjate de los valles y los ríos y vete a zonas altas tan rápido como sea posible.

SI HAY UN FLUJO DE LODO:
Si un lahar va en tu dirección, vete al lugar más alto que veas. Métete en algún edificio alto y fuerte y sube hasta arriba. Si no hay edificios, súbete a un árbol.

ATRAPADO EN EL LODO:
Mantén la cabeza sobre el lodo y sujétate a cualquier objeto flotante mientras esperas que te rescaten.

PELIGRO

FACTOR DE RIESGO: ☠ ☠
Siempre que un volcán erupciona, se puede producir un flujo de lodo.

SUPERVIVENCIA: 90%
Antes los flujos de lodo causaban muchas muertes, pero hoy en día los satélites nos ayudan a predecirlos.

EL HORROR DE UN LAHAR

En 1985, un flujo de lodo del volcán Nevado del Ruiz en Colombia sepultó el pueblo de Armero y mató a más de 23,000 personas. De haberlo sabido, sus habitantes hubiesen podido escapar a una zona alta cercana y salvarse.

SUPERVOLCÁN

Un supervolcán es una erupción volcánica gigantesca, mucho más grande que la de un volcán normal. Cuando un volcán entra en erupción, la lava se enfría y forma una montaña a su alrededor. Un supervolcán lanza la lava y las rocas con tanta fuerza que forma un cráter redondeado, o caldera, en el terreno.

En la prehistoria hubo varias erupciones supervolcánicas. Por ejemplo, el Parque Nacional de Yellowstone en EE.UU. está en la zona de un antiguo supervolcán, que podría volver a entrar en erupción.

QUÉ HACER

SI SE PREDICE LA ERUPCIÓN:
Si hay tiempo, se evacuará el área cercana al supervolcán. Sal rápido de la zona, pero mantén la calma para evitar el caos durante el viaje.

DURANTE LA ERUPCIÓN:
Si estás a más de 60 millas (100 km) de la erupción, puedes sobrevivir. Una fuerte lluvia de ceniza cubrirá la tierra miles de millas a la redonda del volcán. Quédate en casa para protegerte y no trates de atravesar la zona afectada en auto.

DESPUÉS DE LA ERUPCIÓN:
La ceniza lanzada al espacio bloqueará la luz solar, lo que hará difícil cultivar la tierra. Podrías sobrevivir con alimentos en conserva que haya disponibles.

PELIGRO

FACTOR DE RIESGO: ☠
No se cree que haya erupciones de supervolcanes en mucho tiempo.

SUPERVIVENCIA: 50%
La erupción de un supervolcán destruiría un área inmensa, y muchas personas morirían.

CONSEJO Mantén la calma. Como no hay nada que puedas hacer, no tienes por qué preocuparte.

AVALANCHA

Una avalancha es el desliza-miento de una gran pila de nieve por la ladera de una montaña. La pueden causar el viento, la luz solar que derrite la nieve, las motonieves, los esquiadores o la acumulación excesiva de nieve recién caída.

Pueden ser letales si sepultan casas o personas. Muchas personas mueren porque se quedan sin oxígeno antes de que los rescatadores logren salvarlas.

PELIGRO

FACTOR DE RIESGO: ☠ ☠ ☠

Cada año ocurren avalanchas, y muchas en estaciones de esquí.

SUPERVIVENCIA: 60%

Si logras apartarte de su ruta o salir de debajo de la nieve si esta te tapa, puedes sobrevivir.

ALTA TECNOLOGÍA

Muchos esquiadores ahora usan transmisores que emiten una señal de radio para que los rescatadores puedan localizarlos bajo la nieve si quedan atrapados.

QUÉ HACER

SI VES UNA AVALANCHA:
Échate a un lado para salirte de su ruta y tratar de evitarla. Trata de refugiarte detrás de una roca grande o agárrate a un árbol y trata de mantenerte en pie.

SI TE ARRASTRA:
Suelta tu mochila, pues te dificultará el escape. Muévete como si estuvieras nadando para mantenerte en la superficie.

SI QUEDAS SEPULTADO EN LA NIEVE:
Acurrúcate como una bola con las manos sobre la cara para hacer espacio para el aire. Escupe en tus manos: la saliva resbalará hacia abajo. Excava hacia arriba con las manos o con tu palo de esquiar antes de que la nieve se endurezca.

TERREMOTO

La corteza terrestre (capa superior de la Tierra) tiene inmensas secciones llamadas placas tectónicas que se mueven lentamente, rozándose y empujándose. A veces la tensión entre ellas aumenta hasta que las placas se deslizan. El suelo se estremece y tiembla: es un terremoto. Los terremotos grandes pueden hacer grietas en el suelo y provocar el derrumbe de edificios.

Derrumbe de una autopista en el terremoto de Kobe, Japón, en 1995.

QUÉ HACER

PREDECIR TERREMOTOS:
Es muy difícil predecirlos, pero los científicos a veces lo logran. En esos casos es posible evacuar el área. Si va a ocurrir un terremoto, prepárate: coloca los objetos pesados en el suelo, guarda agua en baldes y botellas y apaga cualquier llama o fuego que tengas en casa con cuidado.

DURANTE EL TERREMOTO:
Si estás en una casa o edificio, refúgiate bajo el marco de una puerta o bajo una mesa resistente. No vayas a la cocina, las escaleras, los elevadores ni las ventanas. Si estás fuera, aléjate de las casas, los árboles, el tendido eléctrico y otras cosas que puedan caerse.

PELIGRO

FACTOR DE RIESGO: 💀 💀 💀
Cada año ocurren docenas de fuertes terremotos alrededor del mundo.

SUPERVIVENCIA: 80%
Los terremotos son terribles, pero en la mayoría de los casos muchas personas sobreviven.

CONSEJO Tras un terremoto, a veces se producen otros más pequeños, llamados réplicas. No asumas que el terremoto ha pasado: evita cualquier riesgo mientras esperas ayuda.

PELIGRO

FACTOR DE RIESGO: ☠ ☠
Es poco probable que se abra
una dolina bajo tu casa o tu calle.

SUPERVIVENCIA: 60%
Hay posibilidades de sobrevivir
en caso de caer en una dolina, o
de escapar de ella antes de caer.

*Esta dolina apareció
en Ciudad Guatemala
en 2007. Provocó el
hundimiento de 12
casas y la muerte
de tres personas.*

DOLINA

Imagínate que, de pronto, el suelo se abre bajo tus pies y se forma un
inmenso hueco. Una dolina es un hueco en el suelo, causado por el desgaste
que las aguas subterráneas producen en las rocas. Muchas dolinas se
forman lentamente. Sin embargo, a veces el agua excava una gran cavidad
invisible bajo tierra, que queda cubierta por una delgada capa de rocas. En
algún momento, este "techo" se derrumba y aparece un hueco en el suelo.
Si esto sucede en un área muy poblada, puede ser desastroso.

QUÉ HACER

IDENTIFICAR UNA DOLINA:
Las dolinas pueden aparecer sin aviso, pero a veces hay indicios que las
anuncian: pequeñas grietas en el suelo que forman un círculo, vibraciones
en el terreno o un ruido sordo que parece salir de lo profundo de la
tierra. Si notas algo así, sal de área y llama al servicio de emergencias.

SI APARECE UNA DOLINA:
Si el terreno comienza a hundirse, sube corriendo hacia el borde de la
dolina. Agárrate de una baranda u
otro objeto fijo para salir de allí.

SI CAES EN UNA DOLINA:
Podrías caer en el agua. Mantente
a flote, agárrate de cualquier
objeto y grita para pedir ayuda.

¿LO SABÍAS?

A veces en el fondo de un
lago aparece una dolina y
este desaparece de pronto,
como el agua de la bañera
cuando se va por el tragante.

MAREMOTO

Turistas y residentes corren en busca de refugio durante el maremoto del océano Índico en 2004.

Un maremoto es una ola o varias olas gigantescas que se estrellan contra la costa, y que son causadas por un terremoto submarino. Cuando se acerca a la costa, se convierte en un muro de agua que puede medir de 30 a 100 pies (10 a 30 m) de alto y puede destruirlo todo a su paso.

QUÉ HACER

SI VIENE UN MAREMOTO:
Aléjate de la costa tan pronto como sea posible y vete a un sitio elevado, como la cima de una montaña. Si no es posible, vete al edificio más alto y fuerte que veas y sube hasta el piso superior.

SI VA A CAER SOBRE TI:
Súbete a un árbol o agárrate de un objeto sujeto al suelo, como una baranda o un parquímetro. Usa tu ropa para atarte a él, y trata de sujetarte mientras pasa la ola.

PELIGRO

FACTOR DE RIESGO: ☠ ☠ ☠
Cada año ocurren varios maremotos de gran intensidad. Son pocos, pero cuando ocurren pueden causar miles de muertes.

SUPERVIVENCIA: 70%
Si hay un maremoto en tu ciudad, probablemente habrá víctimas fatales. Si sabes qué hacer, es problable que sobrevivas.

SI TE ARRASTRA:
Busca un objeto flotante para sujetarte y trata de protegerte la cabeza. Grita para pedir ayuda.

SEÑALES DE AVISO:
Estas señales a veces anuncian la proximidad de un maremoto:
• Sientes un terremoto estando cerca de la costa.
• El mar se encrespa de pronto y los barcos comienzan a mecerse.
• El mar se retira rápidamente de la costa, dejando el fondo marino a la vista.

CONSEJO Algunas áreas donde ocurren maremotos tienen letreros que indican adónde dirigirse en caso de que se acerque uno.

ZONA DE MAREMOTOS

EN CASO DE MAREMOTO ALÉJESE DE LA COSTA

CAÍDA DE UN ASTEROIDE

Un asteroide es un pedazo de roca que vuela por el espacio. La mayoría está muy lejos de la Tierra, pero, a veces pasa uno tan cerca de la Tierra que la gravedad lo atrae y cae sobre ella.

La caída de un asteroide grande podría tener efectos devastadores. Podría destruirlo todo en el área donde caiga, formar un inmenso cráter y provocar maremotos. También podría llenar el cielo de residuos, bloqueando la luz solar.

PELIGRO

QUÉ HACER

SI UN ASTEROIDE VIENE HACIA LA TIERRA:

Los científicos pueden predecir la caída de un asteroide, lo que daría tiempo para advertir a la población. Habría que almacenar agua y alimentos y las regiones costeras deberían ser evacuadas, por si ocurren maremotos.

SI ESTÁ A PUNTO DE CAER:

Si un asteroide cae donde vives, no podrías escapar, pero si cae lejos, sí. Protégete del impacto inicial bajo el marco de una puerta o muebles resistentes.

DESPUÉS DE LA CAÍDA:

No salgas, pues estarán cayendo desechos. Después de un tiempo podrás ir a un lugar más seguro.

FACTOR DE RIESGO: ☠
La probabilidad de que caiga un asteroide donde vives es mínima.

SUPERVIVENCIA: 50%
Depende del tamaño: uno pequeño quizás no afecte a nadie, uno muy grande podría acabar con la vida en la Tierra.

Un asteroide de 33 pies (10 m) de ancho podría destruir un pueblo. Un asteroide de 330 (100 m) pies de ancho podría destruir un área del tamaño de Gran Bretaña. Un asteroide de 6 millas (10 km) de ancho podría exterminar la raza humana.

¿LO SABÍAS? Los científicos están buscando métodos para desviar asteroides que puedan pasar cerca de la Tierra. Una de las ideas es dispararle un cohete que lo desvíe para no choque contra la Tierra.

OLA GIGANTE

PELIGRO

FACTOR DE RIESGO: ☠

Estas olas son raras, y es aun más raro que caigan sobre un barco.

SUPERVIVENCIA: 70%

Si la ola no hunde el barco donde estás en segundos, probablemente escaparás ileso.

Esta imagen de computadora muestra el tamaño de una ola gigante.

La ola gigante se forma en alta mar. No es un maremoto ni una tormenta. Es sólo una ola, pero mucho más grande y erguida. Las olas más grandes de las tormentas miden unos 50 pies (15 m). Las olas gigantes miden de 80 pies (25 m) a 100 pies (33 m), y podrían haber causado muchos naufragios para los que nunca se ha hallado explicación.

Se cree que estas olas podrían ser causadas por el viento, las corrientes o por la confluencia de varias olas, pero aún no se sabe por seguro qué las origina.

¿LO SABÍAS?

Durante siglos, muchos marinos han dicho haber visto olas gigantes, pero se pensaba que eran exageraciones. En el año 2003 los científicos demostraron la existencia de las olas gigantes usando satélites que las detectaron desde el espacio.

QUÉ HACER

SI VES UNA OLA GIGANTE:

Si vas en un barco y ves una ola gigante, busca refugio. Vete al interior del barco, al lado más alejado de la ola. No te acerques a las escotillas o ventanas. Agárrate bien a algún objeto fijo.

SI LA OLA TE CAE ENCIMA:

Si estás en cubierta cuando llega la ola, tu única opción será agarrarte a algo fijo, y tratar de que el agua no te arrastre. Baja la cabeza y aguanta la respiración mientras pasa la ola.

CÓMO EVITARLAS:

Los científicos están tratando de determinar dónde son más frecuentres las olas gigantes. Y están diseñando sistemas de aviso para ayudar a los marinos a evitar los desastres.

ICEBERG

La palabra *iceberg* significa "montaña de hielo". Un iceberg es un gigantesco pedazo de hielo que se desprende de un glaciar y flota en el mar. Los icebergs se forman cerca del Ártico y la Antártica, donde los glaciares (ríos de hielo) fluyen al mar y se quiebran.

El hielo es un poco más ligero que el agua. Por eso los icebergs flotan. Sólo vemos el 12 por ciento del iceberg; el resto queda bajo el agua. El sólido hielo del iceberg puede causar un desastre si un barco choca contra él.

QUÉ HACER

SI VES UN ICEBERG:

Todos los barcos deben evitar los icebergs. Aunque parezca estar lejos, parte del iceberg podría estar bajo el agua. Nunca te acerques a un iceberg, pues puede voltearse o quebrase de repente, causando peligrosas olas a su alrededor.

SI TU BARCO CHOCA:

Un iceberg puede abrir agujeros en el casco del barco bajo la línea de flotación. Si estás en un barco muy grande, vete a la cubierta superior y sigue las instrucciones del capitán y la tripulación.

Vista transversal que muestra la parte del iceberg que queda bajo el mar.

PELIGRO

FACTOR DE RIESGO: ☠ ☠ ☠

Hay miles de icebergs en el mar. Y son un peligro para los barcos, los cables submarinos y las plataformas petroleras.

SUPERVIVENCIA: 80%

Como los icebergs se desplazan lentamente, es posible evitarlos.

EL *TITANIC*

El hundimiento del Titanic en 1912 fue causado por un iceberg. Se pensaba que no era posible hundir el nuevo trasatlántico, pero chocó con un iceberg y se hundió en pocas horas. No llevaba suficientes botes salvavidas, y unas 1500 personas murieron en la catástrofe.

INUNDACIÓN

Las inundaciones se producen cuando el agua cubre un área seca. Muchos ríos inundan las tierras cercanas a sus riberas cada año sin causar mayores problemas, pues la gente sabe lo que va a suceder. Pero las inundaciones inesperadas son peligrosas. Pueden ser causadas por las lluvias o por la crecida del mar a causa de una tormenta o un maremoto.

Las aguas pueden arrastrar autos y casas o causar daños al esparcir lodo y aguas albañales en áreas extensas.

Un hombre, con bolsas de basura en las piernas, en las aguas de una inundación en Venecia.

QUÉ HACER

SI HAY UN AVISO DE INUNDACIÓN:

Sal del área afectada. Pon las mascotas a salvo. Coloca los objetos de valor y equipos eléctricos en el piso superior o lo más alto posible. Apaga la corriente y el gas. Si tienes bolsas de arena, ponlas alrededor de la casa. Si te vas a quedar en la casa, almacena agua, comida, un equipo de primeros auxilios, linternas y mantas.

SI TE QUEDAS AISLADO POR LA INUNDACIÓN:

¡Calma! Trata de llamar a los servicios de emergencia con tu celular. De lo contrario, haz señales

PELIGRO

FACTOR DE RIESGO: ☠ ☠ ☠ ☠

Cada año ocurren muchas inundaciones en el mundo, y son cada vez más frecuentes.

SUPERVIVENCIA: 90%

Aunque las inundaciones pueden ser muy peligrosas, en general causan más daños materiales que personales.

con las manos o con una linterna a los botes o helicópteros que pasen. Pon a salvo los alimentos y el agua. No trates de salir a través del agua: espera a que vengan a rescatarte.

SI EL AGUA TE ARRASTRA:

Agárrate de un árbol o una señal de tráfico. Grita y agita los brazos para hacerte notar.

INUNDACIÓN REPENTINA

En 2007, el huracán Dean causó inundaciones repentinas en Dominica.

Las inundaciones repentinas son las que ocurren sin previo aviso. Son causadas por las lluvias que produce una tormenta en poco tiempo. Esas lluvias pueden formar un torrente de agua que fluye rápidamente hacia los valles. El derrumbe de una represa también puede causar una inundación repentina.

PELIGRO

FACTOR DE RIESGO: ☠ ☠
Las inundaciones repentinas son menos frecuentes que las otras.
SUPERVIVENCIA: 60%
Avanzan tan rápidamente que puede ser difícil escapar.

Son muy peligrosas porque toman a todos por sorpresa. Frecuentemente suceden en verano, cuando los ríos están en calma y hay mucha gente pescando, paseando o nadando en sus aguas.

QUÉ HACER

SI SABES QUE VA A HABER UNA INUNDACIÓN REPENTINA:
Si estás en un valle, podrías ver una inundación repentina río arriba o escuchar el ruido del torrente. Aléjate: sube hacia terrenos más altos y alejados del agua. Si la inundación se acerca, busca un árbol del cual agarrarte.

SI LAS AGUAS TE ARRASTRAN:
Mantente a flote o agárrate de alguna rama y nada hacia la orilla.
Si puedes, agárrate de algún árbol y trata de que no te lleve la corriente.

EVITA LAS INUNDACIONES REPENTINAS:
Estas inundaciones son difíciles de predecir, pero piénsalo bien antes de visitar un valle o una garganta si sabes que se esperan fuertes lluvias en la zona.

¿LO SABÍAS?

Muchas víctimas de las inundaciones repentinas no mueren ahogadas sino por las golpeaduras con rocas, ramas y troncos que el agua arrastra.

CORRIMIENTO DE TIERRA

En junio de 2005 se produjo un gran corrimiento de tierra en Laguna Beach, California, que arrastró 18 casas por la ladera de una colina.

PELIGRO

FACTOR DE RIESGO: ☠ ☠ ☠
Los corrimientos de tierra son comunes pero, en general, pequeños.

SUPERVIVENCIA: 80%
La mayoría no caen sobre zonas habitadas, e incluso si esto sucede, muchas personas sobreviven.

Un corrimiento de tierra es una sección del terreno que se corre por una ladera empinada o un acantilado cuando el terreno se humedece por las lluvias o la nieve derretida y se hace más pesado y resbaloso. Los terremotos y las erupciones volcánicas también pueden provocarlos. Estos fenómenos pueden ser desastrosos si la tierra desprendida cae sobre casas o cae en el mar y provoca un maremoto.

QUÉ HACER

APRENDE A DETECTARLOS:
A veces es posible determinar que va a suceder un corrimiento de tierra: Podrías ver montoncitos de tierra cayendo por una ladera o notar que los árboles se inclinan. Además, el agua de los arroyos o ríos se podría llenar de lodo. Si ves estos indicios, llama a los servicios de emergencia, avisa a los vecinos y aléjate del área.

DURANTE UN CORRIMIENTO DE TIERRA:
Si te da tiempo, échate a un lado. No trates de recoger nada antes de salir: corre. Si la tierra te va a caer encima, acurrúcate como una bola con los brazos alrededor de la cabeza. Si estás en casa o en un edificio, refúgiate bajo un mueble sólido. Si estás fuera, protégete tras una roca grande o un árbol.

EN LA PRESA

En 1963, un corrimiento de tierra cayó en la Presa de Vajont en Italia, creando una inmensa ola que pasó por encima de la presa y cayó sobre varios poblados matando a 2000 personas.

ERUPCIÓN SOLAR

El sol es una gigantesca pelota de gas ardiente. En su superficie hay áreas menos calientes llamadas manchas solares. A veces, cerca de una mancha solar, se produce una explosión que llamamos "erupción solar", que puede emitir al espacio grandes cantidades de radiaciones como, por ejemplo, de rayos X. Si esos rayos van en dirección a la Tierra, pueden dañar equipos electrónicos como los satélites espaciales. Si una erupción solar muy grande afectara directamente a la Tierra, podría causar un desastre devastador.

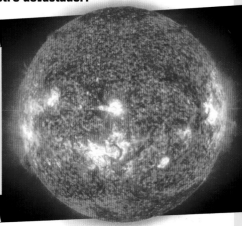

PELIGRO

FACTOR DE RIESGO: ☠

Es poco probable que ocurra una erupción solar que cause un desastre en la Tierra.

SUPERVIVENCIA: 50%

Una erupción solar inmensa podría devastar la Tierra.

QUÉ HACER

NO TE PREOCUPES:

No podemos controlar el sol, así que no podemos hacer nada por evitar una erupción solar devastadora. Si tal erupción afectara a la Tierra, no habría cómo escapar. Por suerte, es poco probable que eso suceda.

SI SUCEDIERA:

Una erupción solar inmensa podría desactivar los sistemas de comunicación y de distribución de energía eléctrica. Esto paralizaría el mundo: bancos, sistemas de transporte, teléfonos y computadoras dejarían de funcionar. La mejor preparación para esta catástrofe es tener destrezas y equipos básicos de supervivencia.

¿LO SABÍAS? Las manchas y las erupciones solares siguen un ciclo regular. Cada 11 años aproximadamente alcanzan su máxima potencia. El próximo momento crítico será alrededor de 2011.

LAGO EXPLOSIVO

Al abrir una botella de bebida efervescente aparecen burbujas que suben a la superficie. Lo mismo puede suceder en un lago. Algunos lagos se forman sobre un respiradero volcánico por donde salen gases. Si el lago es profundo el gas se disuelve en las aguas profundas, y el agua que está encima lo mantiene atrapado.

Sin embargo, si ocurre un temblor de tierra, el agua donde el gas está disuelto puede subir a la superficie. A ese escape se le llama erupción límnica o lago explosivo. Sale del lago como una gigantesca nube que puede sofocar a personas o animales.

PELIGRO

FACTOR DE RIESGO: ☠
En el mundo han ocurrido pocas explosiones límnicas.

SUPERVIVENCIA: 30%
Cuando suceden, estas explosiones son muy peligrosas.

LAGO NYOS La peor explosión límnica fue la del lago Nyos, en Camerún, África, en 1986. Unas 1,700 personas y miles de reses murieron a causa de la explosión.

QUÉ HACER

SI VES QUE SE FORMAN BURBUJAS:
Si ves que el agua de un lago comienza a burbujear, podría ser el inicio de una explosión límnica. Aléjate y avisa a las personas de la zona.

SI QUEDAS ATRAPADO EN LA NUBE DE GAS:
Usualmente, el gas que expulsa un lago explosivo es dióxido de carbono. Es más pesado que el aire, por lo que se desplaza hacia abajo, hacia los valles. Vete a un terreno alto, lejos de los valles y las zonas bajas.

PREVENCIÓN DE LA EXPLOSIÓN:
Los científicos están tratando de prevenir estas explosiones instalando tuberías en algunos lagos volcánicos. Las tuberías permiten que el gas escape desde las profundidades del lago gradualmente y sin riesgos.

SEICHE

"Seiche" en francés significa "balanceo". Durante un seiche, el agua de un lago o una bahía se balancea de un lado a otro. Primero se eleva en un lado del lago y baja en el otro; luego se mueve al lado contrario. Al hacerlo, el agua puede desbordar el lago y arrastrar objetos y personas y causar inundaciones.

Los seiches son causados por tormentas y vientos fuertes que mueven la superficie del lago. Los terremotos y las erupciones volcánicas a veces producen seiches también.

En los Grandes Lagos de Canadá y EE.UU. ocurren frecuentes seiches. Donde más ocurren es en el lago Eire, debido a su forma alargada y sus aguas bajas.

QUÉ HACER

ANTE UN AVISO DE SEICHE:
En los lagos donde ocurren seiches se publican avisos cuando hay posibilidades de que ocurra uno. En esos casos, no te acerques al lago, no viajes en bote por él ni vayas a los muelles que haya en sus orillas.

DURANTE UN SEICHE:
En un seiche, el agua puede subir de repente e inundar la costa. Si ves que sucede, aléjate corriendo o métete en un edificio. Si el agua te arrastra, mantén la calma. Trata de nadar hacia la orilla y agárrate de una baranda, árbol u otro objeto fijo hasta que el agua se calme.

PELIGRO

FACTOR DE RIESGO: ☠ ☠
Los seiches son muy raros, y la mayoría son moderados.

SUPERVIVENCIA: 90%
Pueden ser fatales, pero usualmente hay señales de aviso. La mayoría son más pequeños que un maremoto.

En un seiche el agua se mueve de un lado a otro como en una bañera.

¿LO SABÍAS? En una piscina puede ocurrir un seiche, sobre todo durante un terremoto. Si estás en una piscina y ocurre un terremoto en ese momento, sal del agua enseguida.

INCENDIO FORESTAL

A los incendios que se producen en bosques, campos y estepas los llamamos incendios forestales. La mayoría ocurre en verano y otoño, cuando la hierba y los árboles están secos y se incendian fácilmente. Estos incendios destruyen miles de árboles y plantas. A veces destruyen casas y obstruyen las carreteras.

Algunos tienen causas naturales, como un rayo o una erupción volcánica. Otros son causados por personas que hacen hogueras en acampadas, tiran cigarrillos al suelo o incluso causan un incendio intencionalmente.

PELIGRO

FACTOR DE RIESGO: ☠ ☠ ☠
Los incendios forestales son un peligro en muchas zonas, y cada año ocurren cientos de ellos.

SUPERVIVENCIA: 80%
Quedar atrapado en un incendio así es peligroso, pero usualmente las personas logran escapar.

QUÉ HACER

SI HAY AVISO DE INCENDIO FORESTAL:

Escucha las instrucciones de evacuación que se den por radio o TV. Planea una ruta de escape y habla con tus vecinos: si tu familia tiene un auto, podrían llevar a otra persona que no tenga. Busca a tus mascotas para llevarlas. Pon los documentos importantes y artículos de emergencia en el auto, que debes tener listo y con las llaves puestas para encenderlo.

SI EL INCENDIO ESTÁ CERCA:

Si estás en casa, moja el techo, las paredes y los alrededores usando una manguera. Si estás en camino, observa la dirección del humo y las llamas para ver hacia dónde se desplaza el fuego y vete en dirección contraria. Si ya el fuego está muy cerca, el lugar más seguro es el agua. Busca un río o un lago donde te puedas refugiar.

CONSEJO Ayuda a prevenir incendios forestales: No hagas hogueras en los bosques, y no dejes basura regada en zonas silvestres.

TORMENTA ÍGNEA

PELIGRO

FACTOR DE RIESGO: ☠

Muy pocos incendios forestales provocan tormentas ígneas.

SUPERVIVENCIA: 60%

Las tormentas ígneas son más potentes, calientes y peligrosas que un incendio forestal normal.

En el verano de 2007 hubo feroces incendios forestales en Grecia. En la foto se ve un avión de los bomberos tratando de apagar un incendio en el monte Himeto, cerca de Atenas.

Las tormentas ígneas son un tipo de incendio forestal muy intenso y peligroso. El calor del incendio causa una corriente de aire ascendente. Esto a su vez hace que el aire fresco baje. Si el incendio es intenso, esto puede generar remolinos e incluso relámpagos. A su vez, el viento aviva las llamas y el incendio alcanza temperaturas más altas. Los vientos de las tormentas ígneas propagan el incendio y llenan el aire de humo, lo que dificulta la visión.

QUÉ HACER

SI VES UNA TORMENTA ÍGNEA:

Si el ruido del incendio de pronto se calma y luego se vuelve más potente, puede ser una señal de tormenta ígnea. Podrías ver una nube de humo sobre el incendio y sentir que el aire se pone muy caliente, aun estando a una gran distancia del fuego.

ESCAPA:

Si ves una tormenta ígnea, aléjate enseguida. De ser posible, usa un auto para escapar. ¡No te detengas a mirar!

SI QUEDAS ATRAPADO:

Si te hayas en medio de la tormenta, tienes que meterte en el agua o ir al punto más bajo posible. Si estás en una casa, vete al sótano. Si estás en el bosque, sal del incendio arrastrándote y cubriéndote la cara con tu ropa.

¿LO SABÍAS?

Un incendio en la ciudad también puede causar una tormenta ígnea. Se cree que el Gran Incendio de Londres, que destruyó la mayor parte de la ciudad en 1666, produjo también una tormenta ígnea.

HURACÁN

El huracán George bate sobre Puerto Rico en septiembre de 1998.

PELIGRO

FACTOR DE RIESGO: ☠ ☠ ☠ ☠

Cada año ocurren huracanes. Los expertos piensan que se están haciendo más frecuentes a medida que se calienta la Tierra.

SUPERVIVENCIA: 90%

Como los huracanes se pueden prever, la gran mayoría de las personas sobrevive.

Los huracanes son las tormentas más grandes del mundo. Se forman sobre el mar, cuando el calor hace que el aire caliente y húmedo suba. Esto a su vez atrae más aire al centro, que comienza a dar vueltas formando una gran espiral de nubes.

Un huracán puede tener 300 millas (500 km) de ancho, con vientos de hasta 180 mph (290 kph). Por lo general los huracanes se mueven lentamente sobre el mar hasta tocar tierra. Pueden ser devastadores.

QUÉ HACER

SI SE ACERCA UN HURACÁN:
Los científicos pueden detectar los huracanes en el mar con satélites: por eso sabemos cuando viene un huracán. Si recibes una orden de evacuación, llena el tanque del auto, busca agua, comida, medicamentos y mantas y sal de la zona. Si tienes tiempo, protege tu casa. Mete dentro los muebles y objetos que tengas fuera y, si las ventanas no tienen postigos, clava tablas de madera prensada sobre ellas.

DURANTE UN HURACÁN:
Estarás más seguro bajo techo. Mantente en el centro del edificio, lejos de las ventanas. Si estás fuera, busca refugio. No te escondas debajo de un puente, pues allí el viento cobra mayor velocidad. Cuídate del agua que inundará muchas calles y de los cables eléctricos que caigan.

CONSEJO Si de pronto todo se calma, no creas que ya ha pasado el huracán. Quizás se trate sólo del "ojo" del huracán: una pequeña área de calma que hay en el centro de la tormenta. Quédate en tu refugio hasta que pase todo el huracán.

TORNADO

Los tornados son más pequeños que los huracanes, pero sus vientos son aun más veloces: hasta 300 mph (500 kph). Se forman durante las tormentas eléctricas, cuando una columna de aire se mueve hacia abajo desde una nube. El aire comienza a girar a su alrededor, formando un cono. Tienen un color oscuro porque sus vientos arrastran polvo y desechos; y pueden ser devastadores: destruyen casas y lanzan al aire autos que encuentran en su trayectoria.

PELIGRO

FACTOR DE RIESGO: ☠ ☠

Cada año hay cientos de tornados, sobre todo en EE.UU. Como son pequeños, no es probable que uno de ellos afecte el área donde vives.

SUPERVIVENCIA: 80%

Si quedas atrapado en un tornado, podrás sobrevivir si sabes lo que debes hacer.

QUÉ HACER

SI VIENE UN TORNADO:

Si ves un tornado, entra en casa y vete al sótano o a la planta baja. Métete debajo de una mesa sólida y pon cojines o mantas a tu alrededor para protegerte de los objetos que el viento lanzará por todas partes. Las casas móviles no son un buen refugio. Si estás en una casa móvil, vete a un edificio más resistente o un refugio para tornados.

SI ESTÁS FUERA:

Si estás en un auto, sal de él y corre a un refugio seguro. Los tornados pueden levantar los autos a gran altura y luego dejarlos caer. Si no hay un edificio cerca, acuéstate en un hoyo o zona baja y tápate la cabeza.

SEÑAL DEL CIELO

A veces es posible predecir cuándo va ocurrir un tornado, pues el cielo se pone de un extraño color verde.

Un devastador tornado azotó el sur de Maryland en abril de 2002. El viento alcanzó una velocidad de 318 mph (509 kph) en el pueblo de La Plata, donde el tornado causó la muerte de dos personas y otras 95 sufrieron lesiones.

NEVASCA

PELIGRO

FACTOR DE RIESGO:

Las nevascas peligrosas son raras, y usualmente hay tiempo para ponerse a salvo.

SUPERVIVENCIA: 80%

Si tienes refugio, no debes tener problemas en una nevasca.

Una nevasca es una tormenta de nieve severa que trae una gran cantidad de nieve y vientos arremolinados. Se forman remolinos de nieve, lo que hace muy difícil la visión. Además, la nieve se va acumulando en el suelo en montones, y en esas condiciones manejar o caminar es difícil. Es peligroso quedar atrapado en una nevasca.

QUÉ HACER

CUANDO HAY UNA NEVASCA:

No salgas de casa o refúgiate en una tienda u otro edificio con calefacción. Deja luces encendidas en caso de que alguna persona esté perdida en la nevasca y ande buscando refugio.

SI ESTÁS EN UN AUTO:

Sal de la carretera y aparca en un lugar seguro. Pide ayuda por el teléfono celular y enciende las luces para ayudar a los rescatadores a hallarte. Mientras esperas, tápate bien con abrigos, sombreros, mantas y cualquier otra cosa que puedas encontrar.

SI ESTÁS A PIE:

Si es posible, pide ayuda por el teléfono celular. Busca luces que te indiquen dónde hay una casa, o usa cualquier refugio que halles: una parada de autobús, una caverna o una cabina telefónica. Ponte toda la ropa que tengas y cúbrete la cabeza y las manos para evitar el congelamiento.

Un quitanieves volcado en Eslovaquia tras las fuertes nevascas que hubo en la región en 2005.

CONGELAMIENTO

Este es uno de los peligros de las nevascas y tormentas de hielo. Sucede cuando los vasos sanguíneos se congelan en una parte del cuerpo como los dedos o la nariz. La parte afectada se pone negra, y a veces es preciso amputarla.

TORMENTA DE HIELO

PELIGRO

FACTOR DE RIESGO:
En EE.UU. y Canadá ocurre la mayoría de las tormentas de hielo, y pocas son realmente intensas.

SUPERVIVENCIA: 95%
Casi todo el mundo sobrevive a las tormentas de nieve.

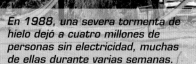

En 1988, una severa tormenta de hielo dejó a cuatro millones de personas sin electricidad, muchas de ellas durante varias semanas.

Las tormentas de hielo pueden ser muy calmadas, ¡pero son muy peligrosas! Ocurren cuando cae una lluvia helada debido al intenso frío. La lluvia es líquida, pero cuando cae sobre carreteras, casas y árboles que están muy fríos, se congela enseguida. Con el tiempo se va acumulando una gruesa capa de hielo sólido y resbaladizo. Esto causa accidentes de tráfico, y el peso del hielo puede quebrar ramas de los árboles, techos y cables eléctricos.

QUÉ HACER

SI HAY TORMENTA DE HIELO:
No salgas de casa. Podrían caerte encima hielo, ramas y cables rotos. Manejar también sería muy peligroso, pues las carreteras estarán muy resbaladizas y podrían estar bloqueadas por árboles caídos.

SI TE QUEDAS AISLADO:
Estas tormentas pueden dañar los cables de la electricidad y las comunicaciones, dejándote aislado.

No salgas: espera a que los servicios de emergencia vayan a donde estás.

PARA COMBATIR EL FRÍO:
Si te quedas aislado en un lugar sin calefacción, pide a todos los que estén allí que vayan a una habitación y usen mantas, sombreros y guantes para cubrirse. Si tienen una chimenea de carbón o leña, o una cocina con salida de aire, enciéndanla y acurrúquense a su alrededor.

CONSEJO Para calentarte, no uses dentro de la casa una parrilla de patio u otro equipo para uso al aire libre, pues pueden emitir gases venenosos. Hay personas que han muerto debido a esos gases.

GRANIZO

Los granizos son bolas de hielo que caen de las nubes. Se forman en el interior de los cumulonimbos. Al principio son tan pequeños como un grano de polvo, una semillita o un insecto. Al soplar el viento dentro de la nube, chocan con gotas de lluvia muy frías que se congelan a su alrededor y forman capas de hielo. Cuando el granizo tiene suficiente peso, cae a la tierra. El hielo es pesado, por eso incluso los granizos pequeños pueden causar muchos daños. A veces en estas tormentas caen montones de granizos inmensos.

QUÉ HACER

SI HAY RIESGO DE GRANIZO:

Es difícil predecir las tormentas de granizo, pero sabemos que suceden casi siempre durante las tormentas eléctricas. Así que si se anuncia una tormenta eléctrica, evita ir a áreas remotas o hacer otras actividades al aire libre.

GRANIZOS GIGANTES

Los granizos pueden ser como un guisante o tan grandes como una pelota de golf. El granizo más grande del que se tiene noticia cayó en Aurora, Nebraska, en EE.UU., en el año 2003. Medía 7 pulgadas (18 cm) de ancho.

PELIGRO

FACTOR DE RIESGO: 💀💀💀💀

En muchas partes del mundo caen granizos varias veces al año.

SUPERVIVENCIA: 95%

Una tormenta de granizo puede causar la muerte, pero sólo si los granizos son muy grandes.

CUANDO CAE GRANIZO:

Quédate en casa y no te acerques a las ventanas, pues el granizo podría romper los vidrios y hacer que te caigan encima. Si estás fuera de casa y la tormenta de granizo parece ser intensa, refúgiate en un portal, debajo de un banco de parque o incluso debajo de un auto aparcado. Si vas en un auto cuando comienza la tormenta, detengan el auto y únanse en medio del vehículo, tratando de alejarse de las ventanillas. Y recuerden que el granizo hará que la carretera esté resbaladiza.

LLUVIA DE RANAS

¿De veras puede llover ranas? Pues sí es posible, y también sapos, peces, medusas y otros animales. Estas misteriosas "lluvias" son muy raras, pero han ocurrido en diversos lugares. Se cree que a veces una manga de agua, que es un tornado que se forma sobre el agua, arrastra animales de un lago o del mar y los lleva a la tierra, donde caen al suelo. A veces sucede con bandadas de aves, que pueden caer como una lluvia a tierra tras haber sido atrapadas en un violento cumulonimbo.

PELIGRO

FACTOR DE RIESGO: ☠
Las lluvias de animales son muy raras, y sería mucho más raro que ocurriera en tu ciudad.

SUPERVIVENCIA: 95%
La caída de animales no han causado muchas muertes, pero podría ser peligrosa si uno de esos animales te cae encima.

QUÉ HACER

SI LLUEVE ANIMALES:

Estos fenómenos son muy raros y no se pueden predecir. Si de repente ves que están cayendo del cielo ranas, peces u otros animales, busca refugio enseguida. El peligro es que te quedes tan sorprendido o maravillado, que se te olvide buscar refugio. Pero incluso una pequeña rana o ave que caiga desde muy alto, puede causarte lesiones serias.

DESPUÉS DE LA LLUVIA:

Cuando se termine la increíble lluvia, podrías sentirte tentado a ir a ver los animales. Cuidado: algunos animales quizás hayan sobrevivido la caída, y podrían picarte o morderte.

¿LO SABÍAS?

Parece que estas "lluvias" han ocurrido por miles de años. En textos de la Edad Media y la antigua Grecia se habla de lluvias de ranas y de peces.

TORMENTA DE ARENA

Las tormentas de arena ocurren cuando un viento fuerte levanta una gran cantidad de arena y la lanza por el aire. Lo mismo puede suceder con el polvo durante una sequía.

Estas tormentas son muy peligrosas, pues llenan el aire de partículas, lo que dificulta la visión y la respiración. Pueden causar accidentes aéreos y de autos, y dañar las casas.

PELIGRO

FACTOR DE RIESGO: ☠ ☠ ☠
Las tormentas de arena y polvo son frecuentes en áreas secas.

SUPERVIVENCIA: 90%
Lo más probable es sobrevivir una tormenta de arena, sobre todo si tienes un edificio o un auto donde refugiarte.

QUÉ HACER

PREPÁRATE:

Si viajas a través de un área muy seca, especialmente si hay aviso de tormenta de arena, mantente alerta. Lleva un equipo de emergencia: gafas protectoras, máscara y agua para beber.

SI VES QUE SE ACERCA UNA TORMENTA DE ARENA:

Corre hacia un edificio cercano y cierra las puertas y ventanas. Si estás en un auto, podrías alejarte de la tormenta si aún está lejos.

Si ya está cerca, aparca fuera de la carretera. Cierra las ventanillas y las entradas de aire y apaga las luces (para que otro auto no vaya tras del tuyo tomándolo de guía). Espera a que pase la tormenta.

SI ESTÁS A PIE:

Ponte gafas protectoras o gafas, y ponte una máscara o un pañuelo mojado en la cara. Evita los terrenos bajos, y refúgiate tras una roca. Cuando esté pasando la tormenta, acurrúcate en el suelo y cúbrete la cabeza con los brazos.

Un haboo, una arena en forma de "muro" de arena y polvo que se mueve rápidamente, se acerca a un mercado de reses en Sudán.

¿LO SABÍAS? Los camellos están acostumbrados a las tormentas de arena. Cierran los ojos y las ventanas de la nariz. Si el camello está echado en el suelo, puedes acurrucarte a su lado para protegerte.

DESPRENDIMIENTO DE ARENA

Una playa arenosa o una duna no parecen peligrosas, pero si un montón de arena cayera sobre ti, podría ser muy peligroso. Las dunas de las playas y los desiertos pueden dejar caer una gran cantidad de arena por sorpresa. La arena también puede desprenderse si tratas de cavar un túnel o una cueva. Incluso abrir un hoyo grande en la arena de la playa puede ser peligroso. Si el hoyo es grande, las paredes pueden derrumbarse de pronto y cubrirte de arena.

QUÉ HACER

TEN CUIDADO:

No vayas a las dunas si hay tormenta o mucho viento, y lee los avisos que haya en la zona. No te pongas a cavar bajo una duna de arena. En la playa, no excaves hoyos muy grandes en la arena.

SI TE CAE LA ARENA ENCIMA:

Si ves que va a caer, trata de escapar. Si te cae encima, acurrúcate y cúbrete la cara con las manos para hacer un espacio para respirar. Trata de esperar en calma a que vengan a ayudarte.

SI LA ARENA LE CAE ENCIMA A OTRA PERSONA:

Excava para ayudarla a salir lo antes posible. Pide ayuda para que todas las personas que puedan te ayuden. Y dile a alguien que llame a una ambulancia.

PELIGRO

FACTOR DE RIESGO: ☠ ☠

Todos los años ocurren accidentes en la arena, pero puedes reducir mucho el riesgo si sabes cómo prevenirlos.

SUPERVIVENCIA: 30%

Quedar sepultado en la arena es muy peligroso, debes salir rápido para lograr sobrevivir.

PELIGRO
ZONA DE DERRUMBES POR VIEJAS EXCAVACIONES MINERAS

CONSEJO Excavar en la arena para hacer un castillo de arena no es peligroso. Para no correr riesgos, haz hoyos que solo lleguen a la altura de tu rodilla.

TOLVANERA

Una tolvanera es una columna de viento que gira en espiral y levanta el polvo o la arena. Es similar a un tornado, pero las tolvaneras se forman en días cálidos y con cielos despejados.

Son pequeñas —a veces son del tamaño de una persona— y la mayoría no son peligrosas. Pero algunas miden 300 pies (91 m) de ancho y 1,000 pies (305 m) de alto. El fuerte viento de la tolvanera, y las partículas de polvo que se mueven a gran velocidad, pueden ser peligrosos.

QUÉ HACER

CONDICIONES PROPICIAS:
Las tolvaneras se forman en lugares llanos y secos, en días cálidos y sin viento. Surgen cuando la luz solar calienta el suelo y hace que suba una columna de aire. Así que estate atento cuando estés en áreas donde se den estas condiciones.

SI VES UNA TOLVANERA:
Una tolvanera parece una columna de polvo o arena que gira sobre sí misma. Si ves una, quizás te sientas tentado a acercarte para observarla mejor, pero lo mejor es guardar la distancia. Busca refugio en un edificio o un auto, y obsérvala desde una distancia prudencial.

PELIGRO

FACTOR DE RIESGO: ☠ ☠ ☠
Las tolvaneras son muy comunes en las regiones cálidas y secas.

SUPERVIVENCIA: 95%
Es posible, pero raro, sufrir lesiones a causa de una tolvanera.

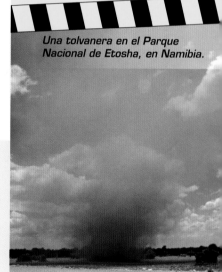

Una tolvanera en el Parque Nacional de Etosha, en Namibia.

SI QUEDAS ATRAPADO EN UNA TOLVANERA:
Agáchate y cúbrete la cabeza y la cara. Si vas en un carro y se meten en una tolvanera sin darse cuenta, rebajen la velocidad y deténgase hasta que pase.

¿LO SABÍAS?

Las tolvaneras reciben diversos nombres en distintos lugares. Las llaman también polvareda, torbellino y ventisca.

MANGA DE AGUA

A semejanza de los tornados y las tolvaneras, la manga de agua es una alta espiral de viento arremolinado. La diferencia es que se origina sobre el agua, y levanta agua con su fuerza. Las mangas de aguas se pueden originar cuando un tornado se forma sobre el mar.

Se forman en días nublados, debido a la manera en que el aire cálido y húmedo se mueve sobre el agua. Casi siempre ocurren cerca de la orilla del mar o de un lago. El mayor peligro es que pueden hacer zozobrar los barcos o llenarlos de agua.

QUÉ HACER

SI VES UNA MANGA DE AGUA:

Si estás en un barco, navega en sentido contrario a la manga de agua. Si es posible, regresa a la orilla, pues se podrían formar otras mangas. Prepara las balsas de rescate. Métete en el camarote si es posible, pues la manga de agua podría hacer zozobrar el bote o hacerte caer por la borda.

SI ESTÁS NADANDO:

Aléjate de la manga de agua nadando y sal del agua pronto. Si estás muy cerca de la manga de agua, ten calma. Mantente a flote sin gastar mucha energía y aguanta la respiración si el agua comienza a girar a tu alrededor. Nada hacia la orilla tan pronto sea posible.

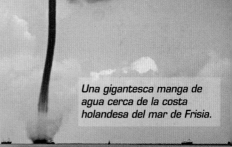

Una gigantesca manga de agua cerca de la costa holandesa del mar de Frisia.

PELIGRO

FACTOR DE RIESGO: ☠ ☠ ☠
Las mangas de agua pueden suceder en casi todo el mundo, sobre todo en los trópicos.

SUPERVIVENCIA: 90%
Una manga de agua puede hundir un barco, pero usualmente es posible alejarse de ella antes.

MONSTRUOS MARINOS

Los antiguos relatos sobre mangas de agua quizás dieron origen a las leyendas sobre serpientes marinas que atacaban los barcos.

RAYO

El rayo es uno de los fenómenos más espectaculares de la naturaleza. Es una gigantesca chispa eléctrica que explota entre las nubes y el suelo. Tiene una inmensa energía eléctrica —a veces más de 100 millones de voltios—, y temperaturas de hasta 54,000 °F (30,000 °C), seis veces más caliente que la superficie del sol. Y eso significa que si a una persona le cae un rayo, puede recibir una descarga eléctrica mortal.

QUÉ HACER

EVITA EL RIESGO:
Los rayos ocurren durante las tormentas eléctricas, y éstas son predecibles. No vayas a escalar, pasear en bote o hacer deportes si hay probabilidades de que ocurra una tormenta eléctrica.

PELIGRO

FACTOR DE RIESGO: ☠ ☠
Las tormentas eléctricas y los rayos son comunes, pero es poco probable que te caiga un rayo.

SUPERVIVENCIA: 75%
Tres de cada cuatro personas a las que les cae un rayo sobreviven, pero algunos no se recuperan totalmente.

Tormenta de rayos en el centro de la ciudad de Los Ángeles, EE.UU.

DURANTE UNA TORMENTA ELÉCTRICA:
No salgas afuera. Aléjate de las puertas y ventanas, el agua, los objetos de metal y los equipos eléctricos. No uses el teléfono ni audífonos: si cae un rayo en la casa, la descarga eléctrica podría pasar a través de ellos.

¿LO SABÍAS?

Roy Sullivan, un guardaparques de Virginia, en EE.UU., sobrevivió a siete rayos que cayeron sobre él entre 1942 y 1977.

SI ESTÁS AL AIRE LIBRE:
Evita el agua, las zonas elevadas, los espacios abiertos, los árboles y las tiendas. No toques objetos de metal. Si no tienes donde meterte, acurrúcate en el suelo con los pies juntos y ponte las manos sobre los oídos.

CENTELLA

Las centellas son un fenómeno muy poco común y del que se conoce poco. Usualmente se manifiesta como una bola brillante, flotante, de 6 a 12 pulgadas (15 a 30 cm) de ancho. Puede flotar en el aire por un minuto y luego desaparecer con un sonido sordo o una pequeña explosión.

Las centellas pueden originarse durante una tormenta eléctrica, pero también se ven en días despejados. Se han visto en edificios, barcos, submarinos y aviones. Los científicos piensan que están relacionadas con la electricidad, pero no saben exactamente qué son.

PELIGRO

FACTOR DE RIESGO: ☠ ☠

Las centellas son muy poco comunes y difíciles de predecir.

SUPERVIVENCIA: 95%

En general las centellas no causan graves lesiones, pero a veces pueden causar quemaduras y hacer hoyos en objetos sólidos.

QUÉ HACER

SI VES UNA CENTELLA:

Mantén la calma, y aléjate despacio y con cuidado. No salgas corriendo precipitadamente: podrías tropezar, caerte y lesionarte.

No tiene sentido que te encierres en otra habitación, pues la centella puede atravesar paredes. En lugar de eso, observa la centella para evitar que se acerque demasiado. Lo más probable es que se aleje flotando en el aire y desaparezca en unos segundos.

Una de las pocas fotografías que se han podido tomar de una centella.

EN EL LABORATORIO

Los científicos están tratando de crear centellas artificialmente haciendo pasar energía eléctrica a través de varias sustancias. Ya han logrado formar pequeñas bolas brillantes.

OLA DE CALOR

Una ola de calor es un período muy cálido del verano, con temperaturas de 10 grados o más por encima de la media para esa época. Son causadas por una combinación de luz solar, falta de vientos y un alto índice de humedad.

Las olas de calor son peores en las ciudades. En el campo, las plantas refrescan el ambiente y la temperatura desciende por la noche. En las ciudades los edificios y las carreteras conservan el calor. Quizás no te parezcan peligrosas, pero las olas de calor pueden causar miles de muertes.

QUÉ HACER

SI SE ANUNCIA UNA OLA DE CALOR:

Evita las actividades intensas, como hacer deportes o trabajar en la construcción. Ten a mano protector solar y un sombrero para protegerte del sol. Busca los números de teléfono para casos de emergencia.

PELIGRO

FACTOR DE RIESGO: ☠ ☠ ☠

Las olas de calor son un peligro en verano. Se cree que se están volviendo más peligrosas.

SUPERVIVENCIA: 90%

La gran mayoría de las personas afectadas sobrevive una ola de calor. Sin embargo, cuando afecta un área muy extensa, puede producir muchas muertes.

DURANTE LA OLA DE CALOR:

No salgas de casa en el mediodía. Si tienes aire acondicionado, enciéndelo, si no, cierra las cortinas, abre las ventanas y enciende los ventiladores. Toma bastante agua y bebidas frías, pero no tomes café, té fuerte ni bebidas alcohólicas, pues hacen que el cuerpo pierda agua. Si sales, ponte sombrero y ropa ligera, holgada, que cubra los brazos y las piernas. Tómate las cosas con calma, no corras de un lado para otro.

SI ALGUIEN TIENE MUCHO CALOR Una persona puede morir por sobrecalentamiento, sobre todo los ancianos, niños y enfermos. Estos son algunos de los síntomas: la persona se siente caliente, enferma y mareada, aparecen erupciones en la piel y no suda. En casos así, se debe usar agua fría para refrescar a la persona.

SEQUÍA

Una sequía es un extenso período con muy pocas lluvias. Puede haber sequías por otras razones como, por ejemplo, a causa de uso excesivo del agua para el riego de cultivos.

En la mayoría de los países, las sequías duran unas semanas o unos meses. Sin embargo, las sequías muy severas pueden ser desastrosas, especialmente en los países en vías de desarrollo, donde la gente a veces es muy pobre y no puede irse a vivir a otra área. Una sequía muy prolongada puede destruir las cosechas y provocar hambrunas devastadoras, así como una peligrosa escasez de agua.

QUÉ HACER

SI SE PREDICE UNA SEQUÍA:
Trata de disminuir el consumo de agua. No dejes los grifos de agua abiertos, toma duchas breves o baños con menos agua y no riegues el césped ni el jardín.

DURANTE LA SEQUÍA:
Sigue ahorrando agua, pero toma la suficiente. El clima se pondrá seco y quizás muy cálido, sudarás y deberás tomar mucha agua. Si el agua llega a escasear demasiado, guárdala toda para beber, no la gastes en lavar o bañarte.

PELIGRO

FACTOR DE RIESGO: ☠ ☠ ☠
Las sequías forman parte de patrones climatológicos normales.

SUPERVIVENCIA: 90%
Es poco probable que te afecte una sequía muy peligrosa.

En áreas de sequías, como esta zona de Mali, las fuentes de agua se usan una y otra vez, provocando la propagación de enfermedades.

Escucha las instrucciones de los servicios de emergencia por si ordenan evacuar el área. Las sequías pueden ocasionar otros problemas, como incendios forestales y tormentas de polvo, así que debes mantenerte informado.

CONSEJO Una buena manera de ahorrar agua es recolectando el agua de lluvia en baldes. Se puede usar después para regar las plantas.

PERDIDO EN EL DESIERTO

Los desiertos son zonas muy secas donde muy pocos organismos sobreviven. Algunos sólo tienen rocas o arena; otros tienen arbustos o cactus. En general, los desiertos son muy calientes por el día, pero fríos en la noche. En algunos países, como los EE.UU. y Australia, hay muchas carreteras que atraviesan desiertos. Los choferes se pueden perder o los autos descomponerse.

PELIGRO

FACTOR DE RIESGO: ☠ ☠
Los viajes son tranquilos, pero los desiertos son peligrosos.

SUPERVIVENCIA: 60%
Las personas sólo sobreviven tres o cuatro días sin agua. Si hay personas que saben que estás perdido, lo más probable es que te encuentren a tiempo.

QUÉ HACER

PRECAUCIONES A TOMAR EN EL DESIERTO:

Si vas a viajar por un área desértica, lleva combustible extra, comidas que den energía, mantas, un mapa, sombreros y gafas de sol, y mucha agua.

SI TE PIERDES:

Si vas en un auto y se descompone, no te alejes de él. Se va a poner muy caliente adentro, así que siéntate a su sombra. Siéntate sobre una banqueta o una caja, no en el suelo, pues el suelo estará mucho más caliente que el aire. Cúbrete todo el cuerpo con ropas holgadas y ligeras y un sombrero. Por la noche, métete en el auto y tápate con las mantas.

Toma toda el agua que puedas. Si estás perdido y vas a pie, busca árboles, rocas o acantilados que te puedan dar sombra.

PIDE AYUDA:

Si tienes un celular, llama y pide ayuda. Pon ramas o piedras en forma de triángulo grande (una señal internacional de auxilio) o haz las letras SOS. Usa un espejo pequeño o un objeto brillante para reflejar la luz del sol y hacer señales a los aviones que pasen.

PERDIDO EN LOS POLOS

Exploradores avanzan sobre el hielo y la nieve camino al Polo Sur.

Los polos se hayan en los extremos norte y sur de la Tierra. Las regiones polares son muy frías y están usualmente cubiertas de hielo y barridas por fuertes vientos. Muy pocas personas van a esas zonas, pero podrías perderte en ellas si el vehículo en el que viajas se rompiera durante la expedición o si el avión en el que vuelas tiene un accidente.

QUÉ HACER

EN CASO DE ROTURA O ACCIDENTE:

Pide ayuda por teléfono o radio. Crea una señal de auxilio (SOS) con bolsas, cajas o partes de un vehículo. Las personas que viajan deben permanecer juntas y quedarse en el vehículo para usarlo como refugio. No recorras la zona: podrías caerte o quedar sepultado en la nieve. Cúbrete bien el cuerpo y siéntate junto a los demás. Si tienes combustible, haz un fuego y derrite nieve para tomar agua. No derritas hielo ni nieve en tu boca, pues sentirás aun más frío.

PELIGRO

FACTOR DE RIESGO: ☠

Muy pocos van a los polos, excepto en expediciones, por eso es poco probable perderse.

SUPERVIVENCIA: 20%

Hace tanto frío en esas regiones que es difícil sobrevivir.

¿HACE MUCHO FRÍO?

La temperatura promedio en el Ártico es de unos -8 °F (-22 °C). En la Antártica, la temperatura promedio es aun más fría: unos -58 °F (-50 °C).

PERDIDO EN LA MONTAÑA

Muchas personas van a las montañas a escalar, esquiar o bajar ríos en balsas. Pero las montañas pueden ser peligrosas. Tienen laderas empinadas y precipicios, vientos fuertes y, a veces, hielo y nieve. A veces la gente se pierde o se queda varada en una montaña a causa de una lesión como, por ejemplo, un tobillo torcido.

PELIGRO

FACTOR DE RIESGO: ☠ ☠ ☠
Muchas personas viajan a las montañas, y a menudo alguien se pierde o sufre una lesión.

SUPERVIVENCIA: 70%
En algunas montañas sería desastroso perderse, pero en la mayoría lo más probable es que te rescaten a tiempo.

QUÉ HACER

TOMA PRECAUCIONES:
Antes de ir a las montañas, prepárate. Usa botas de escalar y ropa apropiada. Lleva bebidas, comida, un silbato y un abrigo cálido. Planea tu ruta y dile a alguien adónde vas. Revisa el parte meteorológico, ¡no vayas de viaje a las montañas si se prevé mal tiempo!

SI ESTÁS PERDIDO:
Tu mapa te servirá para orientarte o encontrar una ruta. Si es de día y hace buen tiempo, probablemente podrás salir caminando. Sigue las corrientes de agua y los valles para bajar la montaña.

Bajar por un precipicio cubierto de hielo en medio de una tormenta de nieve es muy peligroso.

SI QUEDAS ATRAPADO:
El mal tiempo, la oscuridad o una lesión podrían impedir que bajes de una montaña. Busca un refugio y pide ayuda usando un teléfono celular. Si no tienes uno, suena tres veces tu silbato (o silba); espera un minuto y vuelve a hacerlo. Abrígate y espera que vengan a rescatarte.

CONSEJO Si ves un helicóptero de rescate, puedes hacerle señas de que necesitas ayuda extendiendo los brazos en forma de "Y".

ATRAPADO EN UN CRÁTER VOLCÁNICO

Un cráter volcánico es un hoyo que se forma en la cima de un volcán. Los cráteres usualmente son redondeados, con lados empinados y fondo plano. Algunos volcanes se consideran seguros para recibir turistas, de modo que hay rutas para poder visitarlos. A veces, algunas personas se caen dentro del cráter de un volcán.

QUÉ HACER

NO HAGAS LOCURAS:

Los volcanes son tan impresionantes que a veces los visitantes, por la emoción, van más allá de las barreras de protección o bajan por los bordes interiores del cráter para verlo mejor y tomar fotos. ¡Nunca hagas algo así! Las empinadas laderas y las rocas sueltas pueden hacerte caer fácilmente.

> ### ¿LO SABÍAS?
> Los volcanes pueden estar "dormidos" -que en este caso quiere decir inactivos- por muchos años y, de repente, entrar en erupción.

SI CAES EN EL CRÁTER DE UN VOLCÁN:

Usa tus manos y tus pies para detener la caída. Cuando dejes de caer, haz señales para pedir ayuda. No intentes salir por tu cuenta, pues podrías volver a caerte. Algunos cráteres contienen lava hirviente, agua caliente o chorros de vapor que te pueden causar lesiones serias. Mantén la calma y espera a que te rescaten.

El cráter de un volcán activo en Etiopía.

PELIGRO

FACTOR DE RIESGO: ☠ ☠

Los crácteres de los volcanes son peligrosos, por eso hay que actuar con prudencia.

SUPERVIVENCIA: 50%

Si caes dentro de un cráter volcánico, necesitarás mucha suerte y ayuda para salir ileso.

ARRASTRADO POR UN RÍO

Los ríos pueden ser más peligrosos de lo que parecen. En los ríos puede haber fuertes corrientes y salientes bajo la superficie. El agua, aunque parezca que no va muy rápido, te puede arrastrar a grandes distancias en poco tiempo. Y si hay rocas en el río, podrías lastimarte. Es importante tener cuidado cerca de ríos peligrosos y evitar ser llevado por la corriente.

PELIGRO

FACTOR DE RIESGO: ☠ ☠ ☠
Los ríos que parecen calmados pueden arrastrar personas.

SUPERVIVENCIA: 40%
Ser arrastrado por las aguas de un río es muy peligroso.

Ríos con fuertes corrientes como el Brathay, en Inglaterra, son especialmente peligrosos.

QUÉ HACER

TOMA PRECAUCIONES:
Cuando estés cerca de un río, no te acerques a la ribera, no te inclines para mirar el agua, tocarla o agarrar algo que se te haya caído. Las riberas son resbaladizas y sus rocas están húmedas o mojadas. No trates de vadear un río en lugar de cruzarlo por un puente. Y no te bañes en un río a no ser en lugares que se sepa que son seguros, y en compañía de adultos responsables o en un grupo.

SI TE LLEVA LA CORRIENTE:
No trates de nadar contra la corriente porque te vas a agotar. Mantén la calma y nada hacia la ribera más cercana, mientras te dejas llevar por el agua. Trata de evitar las rocas que encuentres. Si es posible, sal del río y aléjate de su ribera. Si eso no es posible, agárrate de una rama o una roca de la ribera. Grita para pedir ayuda, agárrate bien y espera a que te rescaten.

LA FUERZA DEL AGUA Una corriente de agua de 12 pulgadas (30 cm) de profundidad puede arrastrarte.

CASCADA ABAJO

Cada año hay personas arrastradas por cascadas. Una cascada es la caída de agua de un río por el borde de una roca. Las cascadas abren un profundo hoyo en su base. Incluso si la caída no es desde mucha altura, puede ser difícil salir del agua arremolinada en la base de la cascada.

QUÉ HACER

EVÍTALO:

Nunca nades, juegues o te metas al agua en un río que va hacia una cascada. No te acerques a la ribera ni a las rocas cercanas a la parte superior de una cascada.

SI EL AGUA TE ARRASTRA:

Trata de salir del agua enseguida o agárrate de una roca, rama o raíz y espera a que te rescaten. Si el agua te arrastra cascada abajo, cúbrete la cabeza y aguanta la respiración. Al caer al agua, trata de salir a la superficie y deja que el río te aleje de la cascada. Cuando llegues a aguas más calmadas, nada hacia una ribera del río.

PELIGRO

FACTOR DE RIESGO: ☠ ☠

Incluso si caes a un río, lo más probable es que no estés cerca de una cascada.

SUPERVIVENCIA: 20%

Hay personas que han sobrevivido la caída por una cascada, pero son la minoría.

La catarata de Money Drop en Rock Creek, Washington.

¿LO SABÍAS?

En 1960, un niño de 7 años llamado Roger Woodward milagrosamente sobrevivió una caída en una de las cascadas más grandes del mundo, las Cataratas del Niágara. Tenía puesto un chaleco salvavidas, y fue sacado de las aguas por un barco turístico.

PERDIDO EN EL MAR EN UN BOTE O UNA BALSA

Podrías quedar a la deriva en el mar si vas en un bote y se le descompone el motor, se acaba el combustible o pierdes el rumbo. Si vas en un barco grande y se hunde, podrías terminar en medio del mar en un bote salvavidas. En ese caso, tendrás que enfrentar el frío, el viento, las quemaduras del sol y la falta de agua para beber.

QUÉ HACER

PROTÉGETE DEL FRÍO:
Ponte la ropa que tengas a mano, incluso un traje de submarinismo, y protégete del viento.

PROTÉGETE DEL SOL:
El sol podría provocarte quemaduras o insolación. Protégete con sombreros, sábanas o una carpa.

RECOGE AGUA:
El agua es más importante que la comida: come sólo si tienes agua para beber, pues en la digestión el cuerpo gasta agua. Toma el agua potable que tengas cuando sea necesario. Usa cualquier recipiente que tengas para recolectar agua de lluvia, y guárdala con cuidado. Si encuentras trozos de hielo en el mar,

PELIGRO

FACTOR DE RIESGO: ☠ ☠ ☠
Muchas personas se pierden en el mar, pero usualmente son rescatadas.

SUPERVIVENCIA: 75%
Casi siempre alguien saldrá a buscar a la persona perdida y ésta logra sobrevivir.

puedes derretirlos para beber, pues no deben ser salados. No bebas agua salada, a no ser que la balsa tenga un equipo para procesarla.

BUSCA AYUDA:
Si ves un barco o avión, pide ayuda con una luz de bengala, un espejo para reflejar la luz del sol, o una linterna si es de noche. Si ves tierra, trata de ir hacia ella remando con tus manos o con algún pedazo de madera.

CONSEJO Antes de recolectar agua de lluvia en una carpa o lámina plástica, enjuágala en el mar. Si no, la sal acumulada por las salpicaduras del mar le darán un sabor salado al agua que recolectes.

EN MEDIO DEL MAR Y SIN BOTE

¿Y si tu barco se hunde y te quedas a la deriva en el mar? Esta situación es, por supuesto, increíblemente peligrosa, pero hay cosas que puedes hacer para sobrevivir. Lo más importante es mantener la calma y ahorrar tus energías.

PELIGRO

FACTOR DE RIESGO: ☠ ☠
Es poco probable, pues los barcos tienen botes salvavidas.

SUPERVIVENCIA: 30%
Puedes sobrevivir, pero quizás tengas que esperar mucho en el mar para ser rescatado.

QUÉ HACER

SI EL BARCO SE ESTÁ HUNDIENDO:

Busca algo que te ayude a mantenerte a flote, como un chaleco salvavidas o pedazos de madera. Cuando ya estés en el agua, aléjate del bote, pues te puede arrastrar consigo al hundirse.

¿SERÁ UN TIBURÓN?

No te preocupes si sientes que algo te toca en el agua: no debe ser un tiburón. Los ataques de tiburones son poco frecuentes. Quizás sea un pez pequeño o un delfín. Los delfines han acompañado y ayudado a personas que se han quedado a la deriva en el mar.

MANTENTE A FLOTE:

Si no tienes salvavidas, usa cualquier objeto flotante que encuentres. Mantente a flote moviendo las piernas cuando sea necesario, pero mantén la calma y no malgastes tus fuerzas. Conserva tu energía para mantenerte en calor y para gritar y agitar los brazos para pedir ayuda si ves un barco.

Busca algún objeto flotante que te pueda servir de ayuda.

REMOLINO DE AGUA

El Maelstrom, en Noruega, es uno de los remolinos de agua más fuertes del mundo.

Un remolino es una masa de agua que se mueve en espiral en el mar, en un lago o en un río. Se le llama también maelstrom, especialmente si el agua es succionada al centro de la espiral.

Los remolinos se forman donde hay mareas violentas o donde se encuentran dos ríos haciendo que el agua se mueva en espiral.

QUÉ HACER

SI VES UN REMOLINO:

Si ves que el agua se mueve en círculos, no te metas al agua, ni siquiera en otra parte del río o la bahía donde viste el remolino. Los barcos, aunque sean grandes, tampoco se deben acercar.

SI TU BARCO CAE EN UN REMOLINO:

El barco podría inclinarse y girar en círculos antes de irse a pique. Hay personas que han escapado saltando por la borda y nadando hacia la orilla. Sin embargo, es mejor quedarse en el barco: quédate en cubierta por si se hunde.

SI CAES EN UN REMOLINO:

Trata de mantenerte a flote y busca algún objeto flotante del que te puedas agarrar. Aléjate del centro del remolino y pide ayuda.

REMOLINO MÍTICO

En la Odisea, el relato mítico griego, el héroe Odiseo debe pasar entre Caribdis, un monstruo marino que crea remolinos, y Escila, un monstruo de muchas cabezas, para llegar a su hogar.

PELIGRO

FACTOR DE RIESGO: ☠
Los remolinos peligrosos son muy escasos.

SUPERVIVENCIA: 60%
Si caes en un remolino de agua, puede ser peligroso, pero tienes bastantes posibilidades de sobrevivir.

NÁUFRAGO EN UNA ISLA REMOTA

Si te caes de un barco o tu barco naufraga, ver una isla a la que puedas llegar nadando es una buena noticia.

QUÉ HACER

PARA LLEGAR A TIERRA:

Busca una playa de fácil acceso, si es posible. Nada hacia la parte más llana de la playa, así te será más fácil llegar a tierra. Trata de evitar los golpes de las olas. Si ves que una ola te va a caer encima, vira la cara, zambúllete, sal del otro lado de la ola y sigue nadando hacia la costa. Cuando llegues a la orilla, aléjate del agua y vete a un lugar a donde el agua no llegue al subir la marea.

BUSCA AGUA Y COMIDA:

Podrías encontrar agua potable en algún arroyo o río que desemboque en el mar, en charcas entre las dunas o entre las rocas o los acantilados de la playa. No bebas agua salada, pues te enfermarás.

PELIGRO

FACTOR DE RIESGO: ☠ ☠

Esta situación es frecuente en las películas, pero en la vida real ocurre muy pocas veces.

SUPERVIVENCIA: 70%

Si tienes la suerte de llegar a tierra, es probable que sobrevivas.

En las charcas que se forman entre las rocas podría haber peces, cangrejos, lepas y abulones. En las islas tropicales puede haber también cocoteros y aguacates.

BUSCA REFUGIO:

Busca una caverna que no quede sumergida durante la marea alta o hazte un refugio con ramas y hojas junto a un árbol o roca.

EXPLORA LA ISLA:

Busca fuentes de alimentos o campamentos. Podrías hallar refugios de visitantes anteriores.

Cómete sólo los mariscos que halles vivos. Si están vivos, sus conchas son más difíciles de abrir.

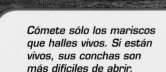

Ostra Mejillón Lepa Abulón

PERDIDO EN UNA CAVERNA

En muchas partes del mundo hay vastas redes de cámaras y pasajes subterráneos en las profundidades de la tierra. Los científicos que estudian la fauna, la flora o las rocas, los espeleólogos y los aficionados, así como los turistas, las visitan frecuentemente. Es posible que alguna de esas personas se pierda o quede atrapada debido al aumento del nivel del agua o a un derrumbe de rocas.

FACTOR DE RIESGO: ☠ ☠

La mayoría de las expediciones a las cavernas tienen un guía, por eso es poco probable perderse.

SUPERVIVENCIA: 60%

Si te pierdes, te irán a buscar. Si te quedas donde estás, deben encontrarte.

QUÉ HACER

PROTÉJANSE DEL FRÍO Y NO SE SEPAREN:

En las cavernas hay precipicios, rocas puntiagudas y charcas y ríos subterráneos. Y son muy oscuras. Si no conoces el camino, quédate en el lugar y espera a que vengan a rescatarte. Si estás en un grupo, se deben abrazar para protegerse del frío. Pónganse toda la ropa que tengan a mano para mantener el calor. No se metan en las corrientes de agua que pueda haber en la caverna, pues si se mojan sentirán más frío.

AVISA:

Si tienes un teléfono celular, úsalo. Si no funciona, vuelve a intentarlo después. Si oyes a los rescatadores, gríteles y enciende tu linterna para que te puedan encontrar.

AHORRA LAS BATERÍAS:

Si te quedas en una caverna a oscuras, querrás encender tu linterna. Sin embargo, es mejor mantenerla apagada y ahorrar baterías para alguna emergencia o para hacer señales a los rescatadores. Lo mismo debes hacer con tu celular: apágalo cuando no lo estés usando.

CONSEJO Si se te acaban las baterías o no tienes linterna, usa tu celular, que emite un poco de luz, como una pequeña linterna.

ATRAPADO EN UN PRECIPICIO

En los precipicios es fácil lesionarse en una caída o por tratar de escalarlos sin el equipo apropiado. Incluso alpinistas veteranos y con el equipo necesario se quedan atrapados y deben ser recatados. Los rescatadores a veces escalan un precipicio con cuerdas y en otras ocasiones usan un helicóptero de rescate para sacar a los alpinistas de una montaña.

QUÉ HACER

PRECAUCIONES:

Ten cuidado cuando estés cerca de un precipicio. No te acerques al borde y no trates de escalarlo sin el equipo apropiado y un guía experto... a no ser que estés escapando de otra emergencia como, por ejemplo, un naufragio.

SI QUEDAS ATRAPADO:

Podrías quedar atrapado en un precipicio por caer desde una cima o intentar escalarlo desde su base. Dondequiera que estés, trata de pegarte a la pared del precipicio y aléjate del borde del saliente donde estés. No te muevas, y respira pausadamente. Si tienes que mover los brazos o gritar para pedir ayuda, hazlo con cuidado y lentamente.

LADERAS EMPINADAS

Quizás piensas que un precipicio es vertical, pero muchos son más bien como laderas muy empinadas. Si te caes, quizás puedas detenerte o agarrarte de un saliente.

Un rescatador, colgado de un helicóptero, saca a un chico de un precipicio.

PELIGRO

FACTOR DE RIESGO: ☠ ☠ ☠
Los precipicios son peligrosos, sobre todo si no se toman precauciones.

SUPERVIVENCIA: 80%
Si quedas atrapado en un precipicio, seguro vendrán a rescatarte.

SI ESTÁS HERIDO:

Si estás sangrando, presiona la herida con tu mano. Si crees que tienes alguna fractura, trata de no mover ese hueso.

HIELO QUEBRADIZO

Siempre que sea posible, evita caminar sobre el hielo. Sin embargo, es posible que alguna vez te veas obligado a hacerlo. Si el hielo tiene más de 4 pulgadas (10 cm) de espesor, puede soportar el peso de una persona. Pero incluso si el hielo parece seguro, puede tener áreas más finas, sobre todo en los ríos congelados, y podrías caer a través de él.

PELIGRO

FACTOR DE RIESGO: ☠☠☠☠☠
En muchos lugares el agua se congela cada invierno y es fácil que se den situaciones peligrosas.

SUPERVIVENCIA: 90%
Si sales del hielo rápidamente, no debes tener problemas.

QUÉ HACER

EVITA EL RIESGO:

No camines sobre un río o un lago helado, ni entres "sólo un segundo" a buscar una pelota o una bolsa que se te haya caído: el hielo se puede romper en un segundo. Hay quienes hacen actividades como la pesca sobre hielo muy grueso, pero eso sólo se debe hacer en zonas donde el hielo ha sido cuidadosamente analizado.

SI ESTÁS SOBRE HIELO QUEBRADIZO:

Acuéstate y extiende los brazos y los pies para repartir tu peso. Deslízate o da vueltas hacia el borde del hielo. Trata de no pasar por encima del hielo agrietado, y busca el hielo más grueso (se ve más transparente y azuloso que el hielo fino). Si estás rodeado de hielo agrietado, no te muevas. Acuéstate y grita para pedir ayuda.

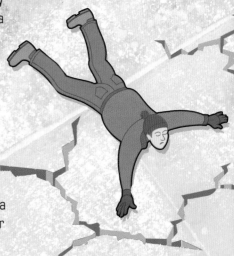

TRAS LOS PERROS

A veces, las personas arriesgan su vida y caminan sobre hielo quebradizo para buscar un perro que se les ha escapado. ¡No hagas algo así! Recuerda que pesas más que tu perro; y los perros pueden salir y ponerse a salvo más fácilmente que las personas, incluso si caen al agua a través del hielo.

CAÍDA A TRAVÉS DEL HIELO

Caer a través del hielo es muy peligroso, pues el agua que está debajo está extremadamente fría. Una persona sólo sobrevive uno minutos en el agua muy fría. También es posible caer al agua por un agujero que haya en el hielo, quedar atrapado debajo de este y ahogarse. Lo más importante es salir cuanto antes del agua.

QUÉ HACER

SI TE VAS A CAER:

Si sientes que vas a caer, échate atrás para mantener tu cabeza fuera del agua. El agua tan fría te quitará el aliento: trata de mantener la calma y mantenerte a flote.

TRATA DE SALIR:

Voltéate hacia el lugar de donde venías: allí el hielo debe ser más grueso. Pon tus manos en el hielo, inclínate hacia delante, y patalea para salir "nadando" del agua. Quizás tengas que tomar un descanso antes de lograrlo. Si puedes, empuja contra el otro borde del agujero. Si el hielo se rompe, ve hacia delante y vuelve a intentarlo.

SI OTRA PERSONA CAE A TRAVÉS DEL HIELO:

Hay personas que han muerto por entrar al hielo quebradizo a ayudar a otras que han caído. Lo que se debe hacer es lanzar una cuerda o unas bufandas atadas unas con otras, y halar a la persona. Si no hay una cuerda, una vara o una tabla pueden servir también. Si no queda otra opción que entrar en el hielo, el rescatador debe atarse una cuerda a la cintura y atar el otro extremo a un objeto fijo en la orilla, y gatear, no caminar, sobre el hielo.

CONSEJO Si tienes unas llaves o una navaja, clávala en el hielo para que te sirva de punto de apoyo para salir del agua.

PELIGRO

FACTOR DE RIESGO: ☠ ☠ ☠

Si se toman precauciones, no hay por qué caer a través del hielo; pero le sucede a cientos de personas cada año.

SUPERVIVENCIA: 30%

Es difícil sobrevivir a menos que logres salir enseguida del agua.

ARENAS MOVEDIZAS

Este joven elefante fue en busca de agua, pero quedó atrapado en las arenas movedizas.

PELIGRO

FACTOR DE RIESGO: ☠ ☠
Hay pocas arenas movedizas peligrosas.

SUPERVIVENCIA: 90%
Es fácil salir de ellas si sabes lo que tienes que hacer.

En las películas de aventuras, la gente puede desaparecer en las arenas movedizas en segundos. En la vida real no es así. Las arenas movedizas se pueden formar en cualquier sitio donde la arena o el lodo arenoso se saturan de agua. Esto crea una sustancia semilíquida en la que te puedes hundir. Sin embargo, es posible flotar sobre la arena movediza como lo haces en el agua, de modo que no es probable que te hundas.

QUÉ HACER

PRECAUCIONES:

Cuando vayas por la playa u otra zona arenosa, presta atención por si hay arena movediza. Es difícil verla desde lejos, pero si metes el pie en ella, se hacen burbujas como en una gelatina. Si esto sucede, retrocede. También puedes usar una vara larga para detectarla.

SI QUEDAS ATRAPADO EN ARENAS MOVEDIZAS:

Si pisas arena movediza, comenzarás a hundirte. Suelta cualquier objeto pesado que tengas en las manos y trata de quitarte los zapatos. Acuéstate sobre tu espalda, pero trata de hacerlo antes de que la arena te llegue a la cintura. Cuando estés ya "flotando" sobre tu espalda, podrás sacar los pies y las piernas nuevamente a la superficie. Una vez que lo logres, arrástrate y rueda sobre la arena para salir de las arenas movedizas.

CONSEJO Cuando más vibre y se sacuda la arena movediza, más líquida se pone. Si te estás hundiendo y agitas los brazos y las piernas, te hundirás más rápido. Cuando estés tratando de sacar las piernas de la arena, quizás sí te ayude sacudirlas un poco.

Es difícil identificar las arenas movedizas: pueden tener el mismo aspecto que la arena normal.

ATRAPADO EN UN PANTANO

Un pantano es un área muy húmeda con suelos que son una combinación de lodo y agua. Tiene árboles, hierbas y plantas acuáticas. Es difícil orientarse en un pantano, pues no se ve muy lejos y a veces el agua te llega a la cintura. Y lo peor de todo es que te puedes quedar atrapado en el pegajoso lodo del fondo.

QUÉ HACER

PRECAUCIONES:

No vayas a zonas pantanosas si no es con un grupo organizado o con un guía. En un pantano, lo mejor es caminar sobre las hierbas y los plantones de juncos. Si puedes hallar una vara larga, úsala para ver si el suelo por donde vas a pasar es firme. Evita las charcas y las áreas planas y lodosas donde podrías hundirte fácilmente.

SI QUEDAS ATRAPADO:

Si sientes que te estás hundiendo en el lodo, acuéstate para flotar y nada o da vueltas para llegar a un terreno firme. Si no reaccionas rápido y quedas atrapado en el fondo, podrías tratar de salir agarrando la rama de un árbol.

SI TE PIERDES:

Si otros saben dónde estás y van a venir por ti, busca un lugar seguro donde esperar. Si es posible, súbete a un árbol. Así evitarás los animales como los cocodrilos y te será más fácil llamar la atención de los helicópteros de rescate.

PELIGRO

FACTOR DE RIESGO: ☠ ☠

No es muy probable que te pierdas en un pantano.

SUPERVIVENCIA: 60%

Escapar de un pantano puede ser difícil, sobre todo si está lleno de cocodrilos.

SOBREVIVIENTE

En el año 2007, un campesino australiano perdió el rumbo y se quedó varado en un pantano lleno de cocodrilos. Lo encontraron con un helicóptero de rescate después de pasar siete días subido en un árbol.

ATRAPADO POR LA MAREA

Las mareas en las costas son causadas por la gravedad de la Luna. La Luna atrae al mar, haciéndolo subir hacia la playa y retroceder dos veces al día. A veces es posible llegar a una bahía, isla o caverna marina durante la marea baja, pero cuando sube la marea, la ruta es cubierta por el agua. Podrías quedar atrapado entre las aguas de la marea alta y los acantilados.

QUÉ HACER

VIGILA LAS MAREAS:

En la playa, fíjate en dónde estás y cuán cerca llega el agua de las mareas. No estés en áreas que puedan quedar aisladas durante la marea alta. A veces es posible averiguar cuándo sube la marea, pues se anuncia en los tableros de anuncios de algunas playas o se puede consultar en Internet.

SI QUEDAS AISLADO:

Pide ayuda en cuanto sea posible. Si tienes un teléfono celular, llama a los servicios de emergencia y pide que llamen a la guardia costera, que te puede rescatar con un barco o un helicóptero. También puedes pedir ayuda gritando a cualquiera que veas en tierra o en un barco.

PELIGRO

FACTOR DE RIESGO: ☠ ☠ ☠ ☠
Es muy común que la gente quede aislada por la marea. Puede suceder rápido y sin aviso.

SUPERVIVENCIA: 90%
Si pides ayuda rápido, es probable que te rescaten sin dificultad.

En la Bahía de Morecambe, Inglaterra, en 2005, veintiún trabajadores migratorios chinos murieron al ser atrapados por una súbita subida la marea mientras recolectaban mariscos.

CONSEJO No juegues en las cavernas de las playas ni entres a explorarlas. Podría subir la marea y no darte cuenta.

ATRAPADO EN LA RESACA

Una resaca es una corriente fuerte que fluye de la playa hacia el mar. También se le llama corriente de resaca. La resaca se forma cuando el agua que las olas traen hasta la orilla fluye de vuelta al mar por un canal estrecho. La resaca puede arrastrar nadadores mar adentro, pero sólo a corta distancia.

Los surfistas usan la resaca para meterse mar adentro.

PELIGRO

FACTOR DE RIESGO: ☠ ☠ ☠ ☠

Las resacas son muy comunes y miles y miles de personas son arrastradas por ellas cada año.

SUPERVIVENCIA: 90%

Si sabes lo que tienes que hacer, debes sobrevivir a esta situación.

QUÉ HACER

EVITA LAS RESACAS:
A veces es posible ver la corriente de la resaca. El agua de la corriente parece más calmada, plana y más oscura. Evita nadar durante la marea baja, cuando las resacas son más comunes. Y no nades cerca de muelles y espigones, pues ahí se forman corrientes de resaca.

SI TE ARRASTRA LA RESACA:
Si sientes que el agua te estás arrastrando, no te dejes dominar por el pánico. Generalmente, las personas que se ahogan en la resaca son las que tratan de nadar en contra de la corriente.

Trata de mantenerte a flote y en calma hasta que pase la corriente. O, si eres un buen nadador, puedes tratar de nadar hacia uno de los lados de la corriente, paralelamente a la playa, para escapar de la resaca.

VIENTO EN POPA

El agua de la resaca puede alcanzar 6 mph (10 kph). No es una gran velocidad si fueras corriendo, pero es mucho más rápido de lo que puedes nadar.

PERDIDO EN UN GLACIAR

Un glaciar es un inmenso y lento río de hielo. Los glaciares se forman en lugares muy fríos, como las montañas altas, donde la nieve que cae se acumula y se hace hielo con el tiempo. A veces los alpinistas tienen que cruzar glaciares al escalar montañas, y los esquiadores esquían sobre glaciares cubiertos de nieve. Los glaciares son muy peligrosos porque en ellos se forman grandes grietas.

PELIGRO

FACTOR DE RIESGO: ☠ ☠
La escalada por glaciares se hace usualmente en grupos, por lo que no deberías perderte.

SUPERVIVENCIA: 60%
Si te pierdes de veras en un glaciar, necesitarás habilidad y suerte para salir sano y salvo.

QUÉ HACER

PRECAUCIONES:
Nunca entres en un glaciar a no ser que vayas en un grupo con un guía experto, con equipo y cuerdas de escalar. Sigue las instrucciones del guía y manténgase todos unidos con cuerdas.

SI TE PIERDES:
Podrías entrar accidentalmente en un glaciar tras perderte en una montaña, o tras la caída de un avión. Si el glaciar está cubierto de nieve, esta podría ocultar las grietas. Por eso es mejor quedarse en el lugar donde uno está. Pide ayuda y cúbrete con toda la ropa que tengas. Si no hay nieve y puedes ver las grietas claramente, puedes tratar de salir del glaciar moviéndote hacia un lado y evitando las grietas que veas. Si estás esquiando y te pierdes en un glaciar, no te quites los esquís, pues reparten tu peso en un área mayor, lo que puede evitar la caída por una grieta.

CONSEJO Para caminar sobre un glaciar, se deben usar siempre crampones. Son unos pinchos especiales que se colocan en las botas para que los pies no resbalen en el hielo.

CAÍDA EN UNA GRIETA

Las grietas de los glaciares son muy peligrosas. Algunas tienen sólo unos pies de profundidad, pero otras son tan profundas como el mismo glaciar, que puede medir 330 (100 m) de grosor. Caerse por una grieta de un glaciar puede ser mortal. Si sobrevives a la caída, podrías quedar herido y dependerías de la ayuda de otros alpinistas para salir de allí.

QUÉ HACER

PREPÁRATE:

Los alpinistas prudentes cruzan las grietas en grupos, unidos con cuerdas para que si una persona cae por la grieta, los demás puedan sacarlo. Usa siempre un casco de alpinismo, pues muchas de las personas que se caen por las grietas sufren lesiones en la cabeza.

SI TE CAES:

Si estás unido a tus compañeros por cuerdas, quizás logres salir por ti mismo o ellos te podrán sacar. Si no tienes cuerdas, caerás hasta el fondo de la grieta. Trata de quedarte en un lugar seguro, lejos de otras grietas más profundas que veas. Cúbrete bien y acurrúcate en una bola mientras esperas a que te rescaten. Grita para avisar a otros que estás allí.

Si estás solo, tu única esperanza es recorrer el fondo de la grieta para ver si hay alguna salida, algunas grietas tienen laderas que conducen a la superficie o agujeros por los que se puede salir al glaciar.

PELIGRO

FACTOR DE RIESGO: ☠ ☠

Las caídas en grietas de glaciares no son frecuentes, pero cada año mueren personas a causa de ellas.

SUPERVIVENCIA: 50%

La caída es muy peligrosa. Si llevas cuerdas de escalar, tendrás más posibilidades de sobrevivir.

ESCAPE MILAGROSO En 1985, un alpinista llamado Joe Simpson cayó por una grieta de glaciar en Perú. Aun con una pierna quebrada, logró salir de la grieta y bajar el glaciar para ponerse a salvo.

PERDIDO EN LA SELVA

Cuando decimos "selva" pensamos en la selva tropical: los bosques lluviosos y húmedos que hay en el trópico. Las selvas tropicales pueden ser peligrosas porque en ellas habitan muchos insectos y grandes animales salvajes.

QUÉ HACER

PRECAUCIONES:

No entres en la selva tropical si no es por una ruta abierta para turistas o con un guía. Si vas a la selva, prepárate bien. Usa botas resistentes, pantalones de patas largas y camisas de mangas largas para cubrir todo tu cuerpo. Lleva comida, agua, una capa de agua, una navaja y fósforos.

SI TE PIERDES:

Primero, grita y agita los brazos para que tus compañeros te puedan hallar. Si no funciona, espera a que vengan a rescatarte. Quédate en el lugar y cúbrete bien con tu ropa para evitar las picadas de insectos. Si llueve, ponte la capa de agua y evita mojarte mucho. Si tienes algo brillante o de color llamativo, cuélgalo de una rama para ayudar a los rescatadores a localizarte.

PELIGRO

FACTOR DE RIESGO: ☠ ☠

Es poco probable que vayas a la selva sin un guía.

SUPERVIVENCIA: 60%

Es muy difícil hallar a una persona en la selva, así que perderse en ella nunca es una buena idea.

AGUA Y COMIDA:

Tómate primero el agua que llevas. Si necesitas más, toma agua de un arroyo o colecta agua de lluvia en tu capa de agua. Si te acercas a un río u otra corriente de agua, deberás tener mucho cuidado: puede haber caimanes, cocodrilos o peces peligrosos. Podrás encontrar frutas como mangos, plátanos y aguacates, pero come sólo aquellas que conozcas bien.

¿LO SABÍAS?

En el año 2007, dos turistas franceses se perdieron en la selva de la Guayana Francesa, en Sudamérica, por casi dos meses. Sobrevivieron comiendo tortugas y arañas.

ATRAPADO BAJO UN ÁRBOL CAÍDO

La caída de un árbol grande puede ser peligrosa. El tronco, o una rama suficientemente grande, puede atraparte contra el suelo de modo que te sea imposible escapar sin ayuda.

En los bosques, los parques y los patios de las casas, los árboles pueden morir y caerse, o ser tumbados por el viento. Y hay personas que quedan atrapadas cuando el árbol que estaba cortando le cae encima.

PELIGRO

FACTOR DE RIESGO: ☠ ☠ ☠
Cada año, cientos de personas mueren aplastadas por árboles.

SUPERVIVENCIA: 75%
Quedar atrapado bajo un árbol es peligroso y aterrador, pero lo más probable es que te rescaten.

CONSEJO Nadie debe tratar de cortar un árbol si no sabe muy bien cómo hacerlo. Si necesitas cortar un árbol, llama a alguien que se dedique a esa tarea.

QUÉ HACER

SI UN ÁRBOL SE VA A CAER:
A veces uno se da cuenta de que un árbol va a caer porque se produce el sonido característico. En ese caso tendrías unos segundos para escapar. Mantén la calma, mira dónde está el árbol y trata de ver hacia dónde va a caer. Aléjate corriendo o vete hacia el otro lado del árbol, lo que puedas hacer más rápido.

SI TE CAE ENCIMA:
Trata de sacar la cabeza y el cuerpo de la trayectoria del árbol y cúbrete la cabeza con los brazos. Si parte de tu cuerpo queda atrapado bajo el árbol, quizás puedas salir sin ayuda. Pero si estás completamente atrapado, no trates de salir, pues te agotarás por gusto. Trata de mantener la calma y grita o usa tu teléfono celular para pedir ayuda. Mientras esperas, mantén la calma y, si es posible, cúbrete bien con la ropa que tengas para mantener el calor del cuerpo.

BOA CONSTRICTOR

Las boas y los pitones son serpientes constrictoras. Esto quiere decir que, en lugar de matar a sus presas con una mordida venenosa, se enroscan alrededor de sus cuerpos y las aprietan hasta asfixiarlas o estrangularlas. Después la serpiente se traga a su presa entera. Incluso una serpiente que es demasiado pequeña para tragarse a una persona podría tratar de estrangularla. Las serpientes constrictoras viven en muchas partes del mundo, sobre todo en las regiones tropicales.

QUÉ HACER

TEN CUIDADO:

Si ves una serpiente en su hábitat, aléjate de ella. Muchas personas tienen boas y pitones como mascotas, y debes tener cuidado con esas serpientes. Nunca dejes que una serpiente se enrosque en tu cuerpo o tu cuello.

SI TE ATACA:

Si una constrictora se enrosca en tu cuerpo, mantén la calma, respira profundo y aguanta la respiración, pues aprieta más duro cuando exhalas. Trata de agarrar la serpiente cerca de la cabeza y desenrollarla. Si es posible, pide ayuda. Tan pronto como te liberes de la serpiente, aléjate corriendo o enciérrala en su tanque o cierra la puerta de la habitación donde está.

PELIGRO

FACTOR DE RIESGO: ☠ ☠
Muy pocas personas han sido estranguladas y devoradas por serpientes.

SUPERVIVENCIA: 60%
Casi ninguna serpiente puede tragarse a una persona. Si recibes ayuda, podrás escapar.

¿LO SABÍAS?

Las constrictoras grandes, como la pitón africana de roca y la pitón reticulada, pueden medir entre 26 y 33 pies (8 a 10 m) de largo.

Hay casos en que estas serpientes han matado y engullido osos y antílopes, e incluso seres humanos.

SERPIENTE DE CASCABEL

Existen unos 50 tipos de serpientes de cascabel en América Central, del Norte y del Sur, sobre todo en áreas cálidas y secas. A estas serpientes venenosas se las llama así porque tienen un "cascabel" de anillos de piel muerta, reseca y endurecida en sus colas. La serpiente agita el cascabel para hacerlo sonar cuando se siente amenazada. Eso te puede ayudar a alejarte de ellas antes de que ataquen. Si una de ellas te muerde, debes buscar ayuda enseguida.

QUÉ HACER

PRECAUCIONES:
Si vas a un área donde hay serpientes de cascabel, usa botas gruesas y pantalones largos. Anda con cuidado: no metas las manos en matorrales o agujeros sin mirar primero a ver si hay serpientes.

NO TE ACERQUES:
Si ves u oyes una serpiente, aléjate despacio. Cualquier movimiento repentino podría asustarla. No persigas ni agarres una serpiente de cascabel: ¡la mayoría de las mordidas se producen cuando la gente hace estas cosas!

QUÉ NO HACER

No cortes la piel alrededor de la mordida ni trates de sacar el veneno chupando ni te pongas un torniquete alrededor de la parte afectada. Esto empeoraría la situación.

PELIGRO

FACTOR DE RIESGO: ☠ ☠ ☠
Las serpientes de cascabel son muy comunes en EE.UU. y otras partes del mundo.

SUPERVIVENCIA: 80%
No todas las mordidas son mortales, y la mayoría pueden ser tratadas, por lo que es probable sobrevivir.

SI TE MUERDE:
Pide ayuda para ir a un hospital, donde te pueden poner un antídoto. Mantén la calma, quédate quieto y con la parte del cuerpo afectada por debajo del corazón. Si te mueves, aumentará el ritmo de la circulación y el veneno se diseminará más rápido por tu cuerpo. Quítate el reloj o las joyas que tengas, pues podrías hincharte. Si es posible, lava la parte afectada con agua y jabón.

El crótalo adamantino es una de las especies más peligrosas.

ATAQUE DE UNA COBRA

Las cobras son muy venenosas. Hay varios tipos, y todas viven en el sur de Asia y en África. Cuando una cobra se siente en peligro, levanta la parte anterior del cuerpo y abre las costillas cercanas a la cabeza formando un arco. Poco después, se puede producir el ataque. El veneno de la cobra es muy potente. Mata a la víctima paralizando sus músculos, lo que le impide respirar. En caso de una mordida de cobra, se puede usar un antídoto o poner a la víctima en un pulmón mecánico para que pueda respirar.

PELIGRO

FACTOR DE RIESGO: ☠ ☠
Las cobras no atacan a las personas si no están acorraladas. Mantén la calma y aléjate.

SUPERVIVENCIA: 70%
Casi siempre se sobrevive a la mordida de una cobra, con excepción de la cobra real.

QUÉ HACER

SI LA COBRA SE YERGUE:
Esto significa que está irritada o asustada y podría atacar. Aléjate y mantente a una distancia mínima como del largo de la serpiente. Las cobras pueden lanzarse hacia delante para atacar rápidamente.

SI TE MUERDE UNA COBRA:
Vete a un hospital lo antes posible. Mantén la calma, no te muevas y pon la parte afectada del cuerpo hacia abajo. Trata de recordar el aspecto de la cobra para que los médicos puedan determinar de qué especie se trata.

¿LO SABÍAS?
La cobra escupidora, que vive en África, puede lanzar su veneno a los ojos de las víctimas desde una distancia de más de 7 pies (2 m).

Esta cobra de la India se siente amenazada. ¡No te acerques!

MURCIÉLAGO VAMPIRO

Los murciélagos vampiros que chupan la sangre de los seres humanos no sólo existen en las películas: ¡son reales! Hay tres tipos, pero sólo uno de ellos ataca a las personas: el vampiro común, que vive en América del Sur. Los murciélagos vampiros se alimentan sólo de sangre, usualmente de la sangre del ganado, y deben alimentarse cada noche.

PELIGRO

FACTOR DE RIESGO: ☠ ☠
Estos murciélagos son un peligro en algunos países sudamericanos.

SUPERVIVENCIA: 90%
La mordida como tal no es muy peligrosa, pero puede contagiar la rabia. Un tratamiento adecuado será suficiente para sobrevivir.

El murciélago vampiro hace pequeños cortes en la piel que no causan dolor.

QUÉ HACER

PROTÉGETE:
Si estás en un área donde hay murciélagos vampiros, revisa la casa o tienda donde te vas quedar para ver si tiene agujeros. Cierra las ventanas por la noche. Domir con mosquitero te ayudará a protegerte.

SEÑALES INDICADORAS:
La saliva del murciélago vampiro tiene un anestésico: no sientes cuando te muerde y no te despiertas. Es difícil saber si has sido mordido. Observa tu piel a ver si notas unos pequeños cortes curvos o rasguños.

CAMINADORES
Los murciélagos vampiros vuelan, pero al acercarse a sus víctimas se posan y caminan hasta ellas, para hacerlo en absoluto silencio. Para caminar, pliegan sus alas y las usan como patas.

SI CREES QUE HAS RECIBIDO UNA MORDIDA:
Vete al hospital en menos de 24 horas para recibir tratamiento contra la rabia. Si no se trata, la rabia suele ser mortal.

COCODRILO Y ALIGÁTOR

PELIGRO

FACTOR DE RIESGO: ☠ ☠ ☠

Prefieren alimentarse de otras presas, pero hay ataques frecuentes contra personas.

SUPERVIVENCIA: 25%

Si un cocodrilo o un aligátor te ataca, necesitarás suerte y coraje para sobrevivir.

Los cocodrilos y los aligátores son reptiles acuáticos grandes y peligrosos. Tienen afilados dientes y poderosas mandíbulas. Viven en ríos, lagos, pantanos e incluso en el mar. Los cocodrilos, que habitan en muchas partes, tienen hocicos puntiagudos. Los aligátores, que habitan en EE.UU., tienen hocicos anchos. Ambas especies tienen comportamientos parecidos.

QUÉ HACER

PRECAUCIONES:

Si estás en un área de cocodrilos o aligátores, no te acerques a charcas ni ríos. No te bañes, ni remes ni metas los pies en el agua, aunque te parezca una zona segura.

Los cocodrilos suelen esconderse y salir rápidamente del agua para atrapar sus presas.

SI VES UN COCODRILO O UN ALIGÁTOR:

Si estás en el agua, sal enseguida y aléjate. Los cocodrilos nadan más rápido que las personas. Al llegar a tierra, corre a toda velocidad. Si un cocodrilo o aligátor te persigue en tierra, se cansará y se detendrá.

SI TE ATRAPA:

Golpéalo con la mano o con cualquier objeto que encuentres en el hocico y la cara y grita. Esto podría hacerlo soltarte. Si te suelta, aléjate a toda velocidad y ve a un hospital, pues los cocodrilos te pueden contagiar enfermedades con su mordida.

CONSEJO En los dibujos animados, la gente le abre la boca a los cocodrilos metiendo un palo entre sus dientes. Es imposible: los cocodrilos y aligátores tienen mandíbulas muy poderosas. Darle golpes en el hocico da mejores resultados.

DRAGÓN DE KOMODO

¿LO SABÍAS?

Si un dragón de Komodo se encuentra en peligro, puede vomitar su última comida. Así reduce el peso de su cuerpo para escapar más fácilmente.

Los dragones son animales imaginarios. El dragón de Komodo es el lagarto más grande del mundo y puede alcanzar 10 pies (3 m) de largo. Vive sólo en algunas islas de Indonesia. Cazan animales grades como los venados y se alimentan también de carroña, es decir, de la carne de animales muertos. Tienen fuertes mandíbulas y al morder envenenan a la víctima con una bacteria que causa la muerte en unos dos días. Tras ese período, el dragón regresa a devorar la carne del animal muerto.

PELIGRO

FACTOR DE RIESGO: ☠

Hay pocos dragones de Komodo, así que no significan un gran riesgo.

SUPERVIVENCIA: 95%

Rara vez un dragón de Komodo mata a una persona.

QUÉ HACER

SI VES UN DRAGÓN DE KOMODO:

Si ves uno, probablemente sea en un zoológico o una reserva natural. A veces los dragones que algunas personas tienen ilegalmente como mascotas se escapan. Si ves un dragón que ha escapado, entra en un edificio y llama a la policía.

EN VIAJES TURÍSTICOS:

Los turistas van en excursiones a ver dragones de Komodo en su hábitat. Si vas a verlos, mantén la calma, estate tranquilo y sigue las instrucciones del guía.

SI TE ATACA:

Como con los cocodrilos, golpea el hocico y la cabeza del dragón para que te suelte. Aléjate corriendo y vete al hospital para que te curen las heridas y te den medicamentos para la bacteria que contiene la saliva del dragón.

Si ves un dragón de Komodo, nunca trates de tocarlo o darle comida.

ARAÑA CON TELA EN EMBUDO

PELIGRO

FACTOR DE RIESGO: ☠ ☠

Aunque la gente le teme a sus picadas, son poco frecuentes.

SUPERVIVENCIA: 95%

Estas arañas han matado a muy pocas personas, y ya existe un antídoto contra sus picadas.

La araña con tela en embudo habita en Australia, y es una de las más venenosas. Hay varias especies, y la más peligrosa es la araña con tela en embudo de Sydney. La mayoría de las picaduras a personas ocurren a fines de verano, cuando el macho sale a buscar una hembra con la que aparearse. Se meten en casas o garajes, o quedan atrapados en algún cobertizo.

QUÉ HACER

TEN CUIDADO:

Si estás en el oriente de Australia, anda con cuidado, sobre todo si sales al jardín o vas de paseo al campo. Averigua qué aspecto tienen las arañas y sus telas para poder identificarlas.

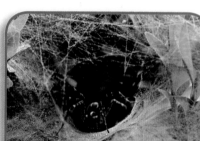

CONSEJO Revisa las botas, las latas de agua y la ropa que se haya quedado fuera antes de ponértela. Dentro podría estar escondida una araña.

SI TE PICA:

La picada duele mucho. Sentirás mareos o una sensación de hormigueo en el cuerpo. Vete enseguida al hospital. Mantén inmóvil la parte del cuerpo afectada. Enrolla una venda por encima de la picada, y usa un palo para inmovilizar esa parte del cuerpo. Si la picada es en una mano, enrolla la venda desde la picada hasta el hombro. Después, ata el palo o la tabla al brazo para inmovilizarlo. Si es posible, mata la araña y llévala al hospital para que los médicos la identifiquen.

Un macho de araña con tela en embudo mide alrededor de 1.5 pulgadas (3 cm) de largo sin incluir las patas.

VIUDA NEGRA

La viuda negra tiene un veneno muy potente, pero es una araña pequeña, pues su cuerpo sólo mide 0.6 pulgadas (1.5 cm) de largo, y no pueden inocular mucho veneno en una sola picada.

Las viudas negras habitan en muchos países cálidos. En ciertos casos pueden causar la muerte, pero en general una picada de viuda negra es sólo una experiencia muy desagradable. Las hembras son más peligrosas que los machos. Las picadas habitualmente se producen cuando las personas rompen las telas de la araña que hay en los bosques, los garajes o los patios durante la noche, que es cuando las viudas negras están activas.

PELIGRO

FACTOR DE RIESGO: ☠ ☠ ☠
Las viudas negras habitan en muchas regiones del mundo.

SUPERVIVENCIA: 95%
La mayor parte de sus picadas no son fatales.

Casi todas las especies de viuda negra son negras. Las hembras tienen lunares rojos en forma de reloj de arena.

QUÉ HACER

PRECAUCIONES:

Las viudas negras salen en la noche, así que evita andar en el garaje, el patio o el cobertizo en la oscuridad. Si ves una viuda negra, aléjate de ella y dale tiempo a escapar.

SI TE PICA:

A algunas personas la picada de una viuda negra no les causa casi ninguna reacción, pero para la mayoría la picada es muy dolorosa. Verás dos pequeñas marcas en tu piel. El veneno de la viuda negra puede causar calambres musculares, dolor de estómago y vómitos. Si tienes estos síntomas, o si crees que te ha picado una viuda negra, vete a un hospital, aunque quizás ni necesites el antídoto. Ponte hielo en la picada para aliviar sus efectos.

HIPOPÓTAMO

Los hipopótamos parecen bestias lentas y torpes que pastan en la hierba o flotan en las aguas de los ríos en paz. Sin embargo, son animales inmensos y muy fuertes, que pueden correr a velocidades de hasta 25 mph (40 kph). En África, donde habitan, los hipopótamos han causado la muerte de miles de personas: muchas más que animales "más fieros" como los leones.

PELIGRO

FACTOR DE RIESGO: ☠ ☠

Los hipopótamos son un peligro en África, pero la mayoría de las personas saben cómo evitarlos.

SUPERVIVENCIA: 60%

Si un hipopótamo arremete contra ti, tendrás que correr para escapar de él.

Los hipopótamos se pasan el día en los ríos, y salen de noche a pastar.

QUÉ HACER

ENTIENDE AL HIPOPÓTAMO:

Los hipopótamos no tratan de matar a las personas. Atacan cuando se sienten acorralados o para proteger a sus crías. En tierra, nunca te pongas entre un hipopótamo y el agua, pues les gusta sentir que pueden entrar en el agua en cualquier momento. Si vas en un bote, ten cuidado de no golpearlo en la cabeza con tu remo: podría voltear el bote con sus ocupantes o partirlo en dos de un mordisco. Evita acercarte a los hipopótamos de noche, que es cuando están más alertas.

SI UN HIPOPÓTAMO ARREMETE CONTRA TI:

No hay manera de enfrentarlo: huye. Los hipopótamos pueden correr a gran velocidad, pero se cansan pronto, por lo que te será posible escapar. Si puedes, métete en un edificio o un vehículo grande, o corre por entre los árboles o las rocas, que podrían dificultar el avance del hipopótamo. Si ves que estás muy cerca, cambiar de dirección te puede ayudar a evadirlo.

¿LO SABÍAS?

Los hipopótamos son inmensos. Pueden medir 13 pies (4 m) de largo y pesar 8,000 libras (3,600 kg), como 50 personas adultas.

ELEFANTE

FURIOSO

Los expertos creen que los elefantes pueden volverse más violentos a causa de los maltratos de los seres humanos.

Los elefantes son los animales terrestres más grandes de la Tierra. Un elefante africano macho puede medir más de 11 pies (3.5 m) de alto y pesar 16,500 libras (7,500 kg). Además, son veloces: pueden correr a 25 mph (40 kph). Si un elefante ataca, puede ser mortal. Las hembras a veces atacan para proteger sus crías, y algunos machos se vuelven muy violentos en ciertas épocas. A este fenómeno se le llama "musth". Los elefantes causan cientos de muertes cada año.

QUÉ HACER

SI UN ELEFANTE TE ATACA:
Corre a toda velocidad y busca un edificio resistente donde meterte, o refúgiate detrás de una roca grande o súbete a un árbol alto.

Correr en zigzag puede confundir al elefante, y si llevas algo en las manos, lánzalo a un lado para distraerlo. Si el elefante te alcanza, te puede atropellar, aplastarte con su cabeza o herirte con sus colmillos. Acurrúcate como una bola y trata de rodar hasta un sitio donde te puedas esconder.

HÁBITAT DE LOS ELEFANTES:
Los elefantes habitan en África y Asia, y son una atracción para los turistas. Nunca te acerques a los elefantes. Si quieres verlos, ve en un grupo dirigido por un guía.

PELIGRO

FACTOR DE RIESGO: ☠ ☠ ☠
En los países donde viven, los elefantes son un serio peligro.

SUPERVIVENCIA: 60%
Es posible sobrevivir el ataque de un elefante.

PERRO

Los perros son fieles amigos, pero son descendientes de animales salvajes y tienen instintos que los impulsan a cazar y a defender su territorio y sus cachorros. Si un perro está irritado o asustado, puede atacar y podría ser muy peligroso. Cada año, millones de personas son mordidas por perros y cientos mueren a causa de sus ataques.

Cuando eran salvajes, los perros cazaban para alimentarse.

PELIGRO

FACTOR DE RIESGO: ☠ ☠ ☠ ☠ ☠
Siempre debes considerar a los perros un peligro potencial.

SUPERVIVENCIA: 95%
Las personas atacadas por perros casi siempre sobreviven.

QUÉ HACER

RESPETA A LOS PERROS:
Aunque es divertido acariciar los perros y jugar con ellos, no lo hagas con un perro que no conoces o que está sin su dueño. Si quieres acariciar a un perro, pregúntale primero a su dueño. No te acerques a perros que estén cuidando su territorio como, por ejemplo, su patio, o a las perras con cachorros.

SEÑALES DE PELIGRO:
Si un perro está irritado puede mover la cola muy rápido, levantar las orejas, gruñir o mirarte fijamente. No lo mires a los ojos, pues eso lo hace sentirse amenazado, y no huyas corriendo, pues eso lo hará perseguirte. Párate bien erguido, mantén la calma y dile con firmeza que se vaya. Aléjate despacio y busca refugio detrás de algún mueble.

SI UN PERRO TE ATACA:
Acurrúcate como una pelota y cúbrete la cara y el cuello con los brazos. Quédate inmóvil hasta que el perro se vaya o recibas ayuda.

RECUERDA LA RABIA

Si alguna vez te muerde un perro, debes ir al médico. Los perros agresivos pueden tener rabia.

MANADA DE LOBOS

En los cuentos, los lobos son animales malos, pero en realidad son menos peligrosos que los perros. Viven en manadas, y su presa favorita son los miembros más débiles o viejos de otras manadas de cuadrúpedos. Se cree que los lobos evitan a los seres humanos porque nuestra postura erguida les recuerda a los osos.

QUÉ HACER

CUIDADO CON LOS LOBOS:
Los lobos viven en zonas frías, montañosas y boscosas, y evitan el contacto con las personas. Si ves lobos, aléjate, sobre todo si vas con un perro, pues los lobos lo pueden ver como una amenaza y atacarlo. Si hay otras personas contigo, no te separes de ellas.

SI TE ATACAN LOS LOBOS:
Cuando una manada de lobos halla una presa, se van a un punto en que el viento sople de la presa hacia ellos y luego se acercan en fila o se dispersan para cercarla. Si ves a los lobos haciendo esto cerca de ti, súbete a un árbol, métete en un edificio o vehículo o yérguete y alza los brazos para asustarlos.

UN LOBO RABIOSO:
Si te ataca un lobo solitario, quizás tenga rabia, pues esa enfermedad los vuelve muy agresivos. Haz lo mismo que se recomienda ante el ataque de un perro.

PELIGRO

FACTOR DE RIESGO: ☠
Los lobos pueden matar a una persona fácilmente, pero casi nunca atacan a los seres humanos.

SUPERVIVENCIA: 70%
Si se deciden a atacar, los lobos son muy peligrosos.

¿LO SABÍAS?

Los lobos no aúllan para asustar a las personas.
Lo hacen para llamar a otros miembros de su manada.

DINGO

El dingo es un perro salvaje de Australia y el Sudeste de Asia. Tiene la pelambre color marrón dorado, y parece un perro doméstico. Sin embargo, los dingos no están domesticados, y pueden ser extremadamente peligrosos. Pueden andar solos o en manadas. Usualmente atacan a niños pequeños o a turistas que intentan darles comida o jugar con ellos.

QUÉ HACER

PRECAUCIONES:

En las zonas donde hay dingos, sobre todo en Australia, los turistas a veces quieren verlos en su hábitat natural y tratarlos como si fueran perros domésticos. ¡No lo hagas! No trates de darle comida, acariciar o acercarte a un dingo para tomarte una foto. Mantente con tu grupo y no permitas que los niños pequeños se alejen de los adultos.

SI SE TE ACERCA UN DINGO:

Vigila al dingo (o los dingos) y no le des la espalda, pero no lo mires a los ojos, pues puede interpretarlo como un desafío. Cruza los brazos, yérguete y mantén la calma. No grites a no ser que el dingo te ataque. Si te ataca, un sonido fuerte y repentino lo podría hacer huir.

SI TE ATACA UN DINGO:

A diferencia de otros tipos de perros, es posible hacer huir a un dingo dando gritos y golpeándolo. Usa cualquier objeto que tengas a mano (un paraguas, por ejemplo) para defenderte.

PELIGRO

FACTOR DE RIESGO: ☠ ☠ ☠

En ciertas partes de Australia, los dingos son un peligro común y bien conocido.

SUPERVIVENCIA: 95%

Muy pocas personas han muerto a causa de los ataques de los dingos, pero puede suceder.

El dingo es del tamaño de un perro doméstico grande.

CONSEJO Cuando vayas de acampada a un área donde hay dingos, debes mantener toda la comida, la basura e incluso artículos como la crema dental, envueltos y bien guardados, pues su olor puede atraer a los dingos.

HIENA

Las hienas habitan en África y Asia. Se parecen a los perros, pero tienen el cuello más largo y grueso y poderosos músculos. Sus mandíbulas están entre las más poderosas de todo el reino animal.

Casi todas las hienas se alimentan de animales muertos, pero la hiena manchada caza sus presas. Las hienas pueden atacar a los seres humanos si están hambrientas. Ha habido casos en que manadas de hienas han atacado aldeas.

FACTOR DE RIESGO: ☠ ☠
Sus ataques son raros, pero son un riesgo real, sobre todo en África.

SUPERVIVENCIA: 50%
Cuando las hienas atacan, es muy difícil escapar de ellas.

Una hiena manchada: la especie de hiena más peligrosa para los humanos.

QUÉ HACER

EVITA EL PELIGRO:

Las hienas están activas de noche: no duermas al aire libre ni salgas a pasear en la oscuridad. Estate atento a los chillidos de las hienas, que suenan como una risa. Las hienas prefieren atacar a los más pequeños, débiles o enfermos: mantén a esas personas protegidas.

SI VES HIENAS:

No te acerques a las hienas a menos que estés en un vehículo seguro y con un guía experimentado. Si las hienas se te acercan, refúgiate en un edificio o vehículo, o súbete a un árbol antes de que te rodeen.

SI TE ATACAN LAS HIENAS:

Cuando las hienas atacan a las personas, se lanzan directamente al cuello o la cabeza para propinar una mordida mortal. Podrías defenderte por algunos segundos si logras poner algún objeto entre tu cuerpo y la hiena. Si no tienes nada, cúbrete la cara con los brazos.

> **¿LO SABÍAS?** Las hienas usan sus poderosas mandíbulas para triturar y devorar completamente los animales de los que se alimentan, incluso sus huesos. Ni siquiera los osos pueden hacer tal cosa.

BÚFALO

Es normal sentir miedo de los osos, los grandes felinos y los tiburones. ¿Pero sabías que debes cuidarte de los búfalos? Son parientes cercanos de las vacas y, como ellas, andan en manadas pastando la hierba que encuentran. Si un búfalo está irritado, asustado o herido —o si alguien se acerca a su cría—, puede ser extremadamente peligroso. Los búfalos embisten a gran velocidad, hiriendo a sus enemigos con sus enormes cuernos, o aplastándolos bajo su peso.

QUÉ HACER

Los búfalos tienen cuernos afilados y peligrosos.

RESPÉTALOS:

Existen varias especies de búfalos, pero el búfalo africano es el más salvaje y peligroso. Habita en el Sur y el Este del continente. Si vas a un área donde viven estos animales, sigue siempre las instrucciones de los guías.

SI TE ATACAN:

Si un búfalo o varios deciden embestirte, al inicio se mueven despacio, lo que te da tiempo para actuar. Entra en un edificio o vehículo, o súbete a un árbol si es posible. Si no es posible, lo mejor que puedes hacer es acostarte en el suelo. Si te quedas de pie, el búfalo te clavará sus cuernos, pero si estás en el suelo quizás pase por tu lado y siga de largo.

PELIGRO

FACTOR DE RIESGO: ☠ ☠ ☠
En África, se sabe que los búfalos son peligrosos, y lo más prudente es no acercarse a ellos.

SUPERVIVENCIA: 80%
Estos animales matan a personas cada año. Pero si eres precavido, no debes tener problemas.

Un grizzly muestras sus poderosas mandíbulas y afilados dientes.

ATAQUE DE UN OSO

Los osos son grandes, fuertes y feroces. Un macho adulto de oso grizzly puede pesar más de 600 libras (270 kg) y medir más de 7 pies (2 m) cuando se para en sus patas traseras.

Los más peligrosos son el oso negro y el grizzly (o marrón), que habitan en las montañas, y el oso polar, que habita en las regiones cercanas al Ártico. Sin embargo, sólo unas pocas personas mueren a causa de los ataques de los osos cada año.

PELIGRO

FACTOR DE RIESGO: ☠ ☠ ☠
Los ataques de osos son escasos, pero muchas personas encuentran osos cuando van en excursiones.

SUPERVIVENCIA: 90%
Usualmente, si una persona y un oso se encuentran, el oso se aleja.

QUÉ HACER

SI VES UN OSO:
Mantente a 150 pies (50 metros) del oso por lo menos. Manténganse unidos. No mires al oso a los ojos ni lo hagas sentir atrapado. Haz ruidos: habla, silba o canta. Si el oso sabe que estás cerca, probablemente se irá.

SI EL OSO SE TE ACERCA:
Haz ruidos intensos gritando o golpeando ollas. Intenta parecer más grande: agita tus brazos o alza tu mochila. Retrocede despacio, sin dejar de agitar los brazos o levantar la mochila.

SI EL OSO ATACA:
A veces los osos simulan atacar y retroceden después. Si el oso salta sobre ti, acurrúcate como una bola y protege tu cabeza con tus brazos o tu mochila. Si sigue el ataque, golpéalo en los ojos o el hocico.

CONSEJO Nunca trates de escapar corriendo. Los osos corren más rápido: alcanzan hasta 30 mph (48 kph).

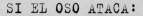

ATAQUE DE UN LEÓN

Con su inmensa melena y su temible rugido, el macho del león es conocido como "el rey de la selva". Esto es un mito. Los leones no viven en la selva, sino en las praderas, sobre todo de Asia. Aunque son peligrosos, los leones matan menos personas que muchos otros animales. Parece ser cierto que algunos leones se vuelven contra los seres humanos y comienzan a acecharlos. Por tanto, todos los leones deben ser considerados peligrosos.

PELIGRO

FACTOR DE RIESGO: ☠ ☠

Hay pocos leones, por lo tanto, sus ataques no son frecuentes.

SUPERVIVENCIA: 40%

Si te ataca un león, es probable que pierdas la batalla.

Sólo los leones machos tiene la famosa melena.

QUÉ HACER

NUNCA TE CONFÍES:

Los leones duermen casi todo el día. Son más activos de noche, pero pueden cazar a cualquier hora. Si ves leones en su hábitat natural, quédate dentro del edificio o el auto en que estés. Algunas personas han sido atacadas al salir del jeep donde iban para tomarles fotos. No te engañes si ves un grupo de leones que parecen dormitar: están observándote, y podrían estar a punto de atacarte.

SI LOS LEONES SE TE ACERCAN:

Mantén la calma y no corras: retrocede despacio a un lugar seguro. Ten cuidado: los leones se podrían haberse dividido para rodearte.

EN UN ATAQUE:

Es bueno ganar tiempo rebatiendo el ataque y tratando de escapar. Grita para pedir ayuda: otras personas podrían ahuyentar al león o golpearlo para que te deje.

CONSEJO Si estás observando leones desde un auto o un jeep, mantén las ventanillas cerradas y nunca saques los brazos o la cabeza fuera del vehículo.

ATAQUE DE UN TIGRE

PELIGRO

El tigre es el felino más grande del mundo. Los machos pueden llegar a medir 12 pies (3.5 m) de largo del hocico a la cola. Además, los tigres tienen una fuerza inmensa y pueden dar saltos de hasta 30 pies (9 m).

Los tigres habitan en la India, China y otras partes de Asia, sobre todo en praderas y áreas boscosas. Cazan venados y cerdos salvajes, pero a veces, cuando la comida escasea, atacan a los seres humanos.

FACTOR DE RIESGO: 💀 💀
Hay muy pocos tigres y usualmente no se alimentan de seres humanos.

SUPERVIVENCIA: 30%
Si un tigre decide atacar, sería una noticia muy mala.

No viajes solo por un área de tigres.

QUÉ HACER

SI VES UN TIGRE:
Mantente inmóvil y en silencio. Si te mueves, es más fácil que un tigre te descubra. Espera hasta que el tigre se aleje para ir a un lugar seguro.

SI UN TIGRE TE SIGUE:
Si es posible, refúgiate en un lugar seguro (un auto, una cabaña o entre las rocas) donde el tigre no pueda llegar. Si no tienes refugio, ponte de cara al tigre y trata de parecer alto y sereno. La mayoría de los tigres se alejará si lo haces, pues les gusta atrapar a sus víctimas por sorpresa.

SI EL TIGRE SALTA SOBRE TI:
Si el tigre salta sobre ti, calcula dónde va a caer y corre hacia un lado y busca unas rocas, un árbol u otro refugio. Si el tigre te atrapa, tu única esperanza será que alguien le dispare, lo golpee o lo asuste para que se aleje.

PUMA

El puma, león de montaña o pantera, es un felino de gran tamaño que habita en América Central, del Norte y del Sur. Tiene el pelaje marrón dorado o marrón rojizo y mide unos 2.5 pies (76 cm) de alto y 7 pies (2.3 m) de largo del hocico a la punta de la cola. Aunque no son tan grandes como los tigres y los leones, son peligrosos, sobre todo para los niños. A veces atacan a los excursionistas y las personas que viven en áreas montañosas, boscosas o desérticas.

FACTOR DE RIESGO: ☠ ☠
Los pumas usualmente no atacan a los seres humanos, pues no los consideran presas.

SUPERVIVENCIA: 70%
Un adulto puede sobrevivir su ataque, pero sería mucho más peligroso para un niño.

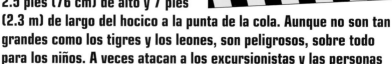

QUÉ HACER

PRECAUCIONES EN ÁREAS DONDE HAY PUMAS:
Cuando visites áreas montañosas, praderas o bosques, sobre todo en el oeste de EE.UU. y Canadá, cuídate de los pumas. Nunca te acerques a un cachorro de puma: las madres defienden a sus cachorros con fiereza.

SI VES UN PUMA:
Mantén la calma. Míralo a los ojos y retrocede lentamente. Camina erguido, levanta los brazos y grita con fuerza para ahuyentar al puma. No te agaches ni le des la espalda, pues esto lo animaría a atacarte.

SI EL PUMA SALTA SOBRE TI:
Protégete el cuello y la cabeza, pues ahí es donde intentará morderte. Grita y trata de golpearlo para que te deje.

A los pumas les gusta lanzarse sobre sus presas desde lugares altos, así que ten mucho cuidado.

¿LO SABÍAS?

Los pumas tienen patas traseras grandes y fuertes. Por eso pueden saltar hasta 16 pies (5 m) de alto en el mismo sitio o 33 pies (10 m) horizontalmente.

JABALÍ

El jabalí es una versión salvaje del cerdo doméstico. Los cerdos pueden ser peligrosos, pero los jabalíes lo son mucho más: tienen colmillos y son capaces de arremeter contra los seres humanos para defenderse. Miden hasta 7 pies (2 m) de largo y pesan el doble de un hombre. Habitan en muchas partes del mundo, como en Australia, Europa, Asia y América del Sur, principalmente en zonas boscosas.

Un jabalí macho muestra sus colmillos.

PELIGRO

FACTOR DE RIESGO: ☠ ☠
Aunque la población de jabalíes está creciendo, estos animales no atacan si no se sienten amenazados.

SUPERVIVENCIA: 95%
Debes sobrevivir, pero un ataque de jabalí podría ser mortal debido a la pérdida de sangre.

QUÉ HACER

TEN CUIDADO:
Si vas a un bosque donde hay jabalíes, anda con cuidado, sobre todo de noche, cuando son más activos. Si vas con un perro corres mayor peligro, pues el perro puede alarmar e irritar a los jabalíes.

SI VES JABALÍES:
Los jabalíes andan solos o en manadas de unos veinte animales compuestas de madres y sus crías. Si un jabalí te va a atacar, se coloca de frente y emite ronquidos y gruñidos. Si esto sucede, aléjate rápido.

SI EL JABALÍ ATACA:
Los jabalíes machos atacan con la cabeza baja, y tratan de herirte con sus colmillos como si fueran cuernos. Las hembras atacan con la boca abierta para morder. Lo mejor es subirse a un árbol o escapar corriendo a toda velocidad.

CONSEJO Un jabalí herido o magullado puede estar furioso y ser muy peligroso. Si ves un jabalí herido, aléjate inmediatamente.

CABALLO

Las personas han domado caballos por miles de años: es uno de los animales domésticos más importantes de mundo. Los caballos son grandes y fuertes, y como tienen tanto contacto con las personas, no es extraño que cada año ocurran miles de accidentes relacionados con caballos. Caerse de un caballo puede ser muy peligroso, sobre todo si no usas casco.

QUÉ HACER

HAZLO SENTIR SEGURO:

Los caballos son grandes, pero se asustan fácilmente. La mayoría de los accidentes suceden cuando los caballos se sienten amenazados. Trata a los caballos con respeto y calma: nunca los molestes, ni los hagas saltar ni te subas a ellos por detrás. No te pares detrás de un caballo, pues te podría patear, y no le cierres el camino. Es mejor mantenerse a distancia, a no ser que conozcas bien al caballo o su dueño esté presente.

SEÑALES DE PELIGRO:

Si el caballo baja las orejas y las pega a la cabeza o sacude la cabeza, puede ser que esté irritado y a punto de lanzar una patada o mordida.

SI UN CABALLO TE TUMBA:

Un caballo desbocado puede tumbarte o pasarte por encima. Si caes debajo del caballo, acurrúcate y cúbrete la cabeza con los brazos: el caballo no quiere lesionarte, en realidad tratará de evadirte.

PELIGRO

FACTOR DE RIESGO: ☠ ☠ ☠
Cuando veas un caballo, recuerda que puede ser peligroso.

SUPERVIVENCIA: 90%
Si un caballo te tumba o te patea, podrías recibir lesiones graves, pero probablemente sobrevivirás.

Si están nerviosos, los caballos pueden patear, o correr descontroladamente.

CONSEJO Si tienes un casco de equitación, úsalo siempre que estés cerca de los caballos, no sólo para montar. Te protegerá la cabeza en caso de que recibas una patada.

EMBESTIDA DE UN TORO

PELIGRO

El torero evade al toro usando una capa roja para distraerlo.

FACTOR DE RIESGO: 💀 💀

Si no molestas a un toro, es muy poco probable que te ataque.

SUPERVIVENCIA: 90%

Hay personas que mueren en ataques de toros, pero no es algo que ocurra frecuentemente.

El toro es el macho de la vaca. Los toros pueden ser muy grandes, y pueden correr a gran velocidad, por lo que la embestida de un toro puede ser mortal. Además de perseguir y atropellar a sus víctimas, los toros las pueden herir o zarandear con sus cuernos.

En el toreo, se provoca e irrita a un toro. A veces un toro mata al torero, pero por lo general es el toro el que muere. Los toros no atacan a personas a no ser que se sientan provocados o acorralados.

QUÉ HACER

NO TE ACERQUES:

No te metas en un área donde hay un toro, aun si está lejos. Si el terreno parece vacío, observa bien a tu alrededor antes de entrar.

SEÑALES DE PELIGRO:

Si el toro está furioso, puede arquear el lomo, bajar la cabeza, moverla de un lado a otro y patear el suelo con sus pezuñas. Aléjate sin dejar de observarlo y vete a un lugar seguro lo antes posible.

SI EL TORO TE EMBISTE:

Si no tienes dónde refugiarte, quítate la chaqueta o la camisa y agítala a un lado. Cuando el toro esté cerca, lánzala más lejos. Probablemente el toro corra hacia ella.

EL PAÑO ROJO

Se dice que el color rojo enloquece a los toros. No es cierto, los toros no distinguen los colores. Un objeto en movimiento puede hacer que el toro trate de embestirlo.

ESCORPIÓN

Los escorpiones son parientes de las arañas. Son pequeños, miden entre 1.3 cm (0.5 pulgadas) y 20 cm (8 pulgadas) de largo, y tienen ocho patas, dos pinzas y una larga cola con un aguijón en el extremo. Hay más de mil especies de escorpión, y la mayoría no es peligrosa. Sin embargo, hay varias especies que tienen un poderoso veneno en el aguijón que puede matar a un ser humano.

QUÉ HACER

PRECAUCIONES:

Los escorpiones son animales nocturnos: si estás en un área donde hay escorpiones peligrosos, duerme con mosquitero. Revisa la cama antes de acostarte. En la mañana, sacude los zapatos, bolsos y ropa en caso de que un escorpión se haya metido en ellas.

SI VES UN ESCORPIÓN:

No te acerques: apártate para que puedas escapar. Puedes sacarlo de la casa barriéndolo suavemente con una escoba, pero nunca trates de agarrarlo. Si un escorpión te sube por la pierna o el brazo, mantén esa parte del cuerpo horizontal y sacude al escorpión para que se caiga.

SI TE PICA:

Si el escorpión no es peligroso, sólo te dolerá el área alrededor de la picadura. Si sientes dolores en todo el cuerpo, te sientes mal o mareado, o si tienes dificultades para respirar, vete a un hospital. Si el escorpión pica a un niño o a una persona enferma, se debe llevar al hospital para que lo vea el médico.

PELIGRO

FACTOR DE RIESGO: ☠ ☠ ☠

Los escorpiones evitan a los seres humanos, pero son muy comunes y pican si los agarran o los pisan.

SUPERVIVENCIA: 95%

Incluso con los escorpiones más peligrosos, usualmente da tiempo ir al hospital, y la persona sobrevive.

El escorpión amarillo habita en Brasil.

¿LO SABÍAS? Al escorpión no lo afecta su propio veneno. Por eso no muere de su picada.

ABEJAS ASESINAS

En todo el mundo hay abejas, y son muy útiles, pues ayudan a la polinización de las flores y producen miel. Aunque pican, no es algo que hagan usualmente, y para la mayoría de las personas una picada puede ser dolorosa, pero no es peligrosa.

Sin embargo, en los años cincuenta los científicos trataron de crear una nueva especie de abeja que produjera más miel. El resultado fue una especie muy agresiva llamada abeja "asesina".

Las abejas asesinas tienen el mismo aspecto que las abejas comunes.

PELIGRO

FACTOR DE RIESGO: ☠ ☠

Las abejas asesinas son peligrosas, pero los científicos están tratando de reducir su número y su agresividad.

SUPERVIVENCIA: 90%

Si mantienes la calma, lograrás escapar del peligro.

Hoy en día se encuentran en América Central y del Sur, y en el sur de EE.UU. Su picada no es más venenosa, pero son muy agresivas y a veces atacan en grandes grupos, lo que puede ser mortal.

QUÉ HACER

NO MOLESTES A LAS ABEJAS:

Las abejas asesinas se irritan cuando las personas las molestan en sus panales o hacen movimientos bruscos o ruidos intensos. Cuando se usan herramientas ruidosas, como los serruchos eléctricos, se puede provocar un ataque.

SI TE PERSIGUEN LAS ABEJAS ASESINAS:

Corre a toda velocidad hacia un edificio, auto o cualquier lugar que sirva de refugio. Cúbrete la cara y la cabeza con la ropa. No te dejes dominar por el pánico ni grites y, si hay un grupo grande de personas, no vayas hacia ellas. Tampoco te zambullas en el agua: tendrás que salir a respirar, y las abejas estarán esperándote.

ALERGIA Algunas personas son alérgicas a las picaduras de abejas. Si a una persona le falta la respiración después de recibir una picadura de abeja o si se le inflama la cara o la lengua, o se desmaya, llévala al hospital enseguida.

CHIMPANCÉ

Si los chimpancés te parecen cariñosos e indefensos, estás equivocado. Algunos son mansos, pero otros son muy peligrosos.

En su hábtitat natural, los chimpancés cazan en grupo a otros animales pequeños, entre ellos a los monos. En cautiverio, algunos atacan a las personas sin razón aparente. Estos animales miden alrededor de 1 metro (3 pies), pero pesan lo mismo que una persona y tienen cinco veces más fuerza.

Los chimpancés tienen dientes afilados, una mordida devastadora y brazos y manos muy fuertes.

PELIGRO

FACTOR DE RIESGO: ☠
Es poco probable encontrar un chimpancé fuera del zoológico.

SUPERVIVENCIA: 40%
Si un chimpancé decide atacar, es muy difícil escapar de él.

QUÉ HACER

RESPETO:
Incluso en el zoológico, donde los chimpancés están encerrados, no los molestes. No le lances objetos ni golpees en el vidrio, pues nunca se sabe si pueden escapar. Si ves chimpancés en la selva, aléjate y no los mires a los ojos. No dejes niños solos en lugares donde hay chimpancés, ni los dejes acercarse a ellos. Si alguien que conoces tiene un chimpancé como mascota, no te le acerques al animal, aunque parezca manso.

SI TE ATACA UN CHIMPANCÉ:
Si se te acerca un chimpancé agresivamente, baja la vista y evita mirarlo a los ojos. Si te ataca, acurrúcate y protégete la cara, el estómago y la cabeza. Grita para que un guardia del zoológico o parque venga en tu ayuda.

¿LO SABÍAS?

En los años sesenta, la científica Jane Goodall, famosa por sus estudios sobre los chimpancés, descubrió que cazan y comen carne, además de otros alimentos. Antes de su estudio se pensaba que eran vegetarianos.

MOSQUITO

El mosquito es un insecto pequeño de la familia de la mosca. Es uno de los animales más peligrosos del mundo. Es más peligroso que los tiburones, los osos, los tigres, los hipopótamos, los cocodrilos, las medusas, los perros y las abejas asesinas juntos. Los mosquitos chupan la sangre de sus víctimas, y cuando pican transmiten enfermedades como la malaria y la fiebre amarilla. Aunque la mayoría de esas enfermedades tiene cura, muchas veces aparecen en áreas pobres, sin acceso a medicinas, por lo que mueren muchas personas. Las picadas de los mosquitos causan alrededor de tres millones de muertes cada año.

PELIGRO

FACTOR DE RIESGO: ☠ ☠ ☠ ☠ ☠
En muchas áreas del mundo hay mosquitos que transmiten diversas enfermedades.

SUPERVIVENCIA: 90%
La mayoría de las personas no mueren a causa de las picaduras de mosquito.

QUÉ HACER

PROTÉGETE DE LOS MOSQUITOS:

Los mosquitos más peligrosos habitan en zonas tropicales de África, el sur de Asia y América del Sur. Si viajas a estas regiones, puedes llevar medicamentos que previenen la malaria. Además, debes usar repelente de insectos y ponerte ropa que cubra los brazos y las piernas, sobre todo si sales de noche, cuando los mosquitos están más activos. Y recuerda que debes dormir con mosquitero.

CHUPASANGRE

Los mosquitos en realidad no se alimentan de la sangre. Como las mariposas, se alimentan del néctar de las flores y de frutas. Sólo las hembras chupan sangre para hacer sus huevos.

SI CONTRAES LA MALARIA:

Los síntomas de la malaria son: dolor de cabeza, sensación de calor y de frío, malestar general, mareos, cosquilleo, etc. Si te sientes mal en un país tropical, vete al médico.

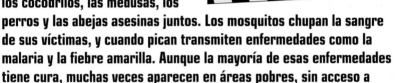

El cuerpo de un mosquito lleno de sangre después de picar a una persona.

ATAQUE DE UN TIBURÓN

PELIGRO

Pocas cosas son más horribles que pensar en ser perseguido por un tiburón, pero esta idea nos viene del cine. Esos ataques son muy escasos, y los tiburones son menos peligrosos que otros animales como los elefantes, los hipopótamos e, incluso, las abejas. Los tiburones usualmente sólo atacan a los seres humanos porque los confunden con presas como las focas y los pingüinos.

FACTOR DE RIESGO: ☠ ☠

En todo el mundo, cada año, se reportan menos de 100 ataques de tiburones, y la mitad de ellos son a surfistas.

SUPERVIVENCIA: 90%

A pesar de su reputación, lo más probable es que sobrevivas si un tiburón te ataca.

QUÉ HACER

TEN CUIDADO:

No nades ni hagas surf de noche, no te adentres en aguas profundas, desembocaduras de ríos ni aguas revueltas o turbias: un tiburón podría confundirte con su presa. No uses nada plateado ni brillante que se pueda parecer a las escamas de un pez.

SI SE TE ACERCA UN TIBURÓN:

Mantén la calma y nada hacia la orilla. Si el tiburón nada en círculos o te golpea con el morro, detente en posición vertical, para que no te confunda con una foca. Si estás con otros, únanse para formar un conjunto más grande: podría hacer alejarse al tiburón.

SI TE ATACA UN TIBURÓN:

Golpéalo en el morro o los ojos con algo, como el snorkel, para que te suelte. Grita para pedir ayuda y trata de ir a la orilla para buscar ayuda médica.

¿LO SABÍAS? El gran tiburón blanco es muy temido, pero no es el más agresivo. El tiburón toro, aunque más pequeño, es más común y más propenso a atacar a las personas.

BANCO DE PIRAÑAS

La piraña es un pez que habita en los ríos de Sudamérica, como el Amazonas. Es muy temida. En las películas de aventuras, atacan en grupos, o bancos, a animales grandes como vacas o personas que se meten en sus aguas. Se dice que devoran toda la carne de sus víctimas, dejándolas en el hueso, revolviendo el agua a causa de la violencia de su ataque.

En realidad raramente devoran personas. Las pirañas comen carne, y van en grupos a la caza de cualquier animal que caiga al agua, como algún pájaro. En ciertas épocas del año, como en la estación seca, pueden ser muy peligrosas para las personas.

PELIGRO

FACTOR DE RIESGO: ☠ ☠
Si viajas a Sudamérica, las pirañas podrían ser alguna vez un peligro.

SUPERVIVENCIA: 95%
Pocas personas mueren por ataques de pirañas, ¡pero como muerden!

Las pirañas miden unos 25 cm (10 pulgadas), pero son muy agresivas.

QUÉ HACER

PRECAUCIONES:
Si viajas a Sudamérica, no te metas en los ríos durante la estación seca, cuando baja el nivel de las aguas y las pirañas hambrientas se reúnen. Si vas a nadar, no chapotees en el agua: las pirañas te tomarían por un animal herido. No te metas al agua si estás enfermo o tienes heridas. Se cree que la mayor parte de las personas son atacadas por las pirañas porque tras entrar al agua se sienten mal y se dejan dominar por el pánico, lo que provoca el ataque.

CONSEJO Si alguien pesca una piraña, no te le acerques. Puede estar aún viva y morderte. Y te podría arrancar un dedo de un solo mordisco.

SI VES PIRAÑAS:
Sal del agua si las ves o si te dicen que las han visto. Si te atacan, sal del agua tan pronto como sea posible.

RAYA LÁTIGO

PELIGRO

FACTOR DE RIESGO: ☠ ☠ ☠

Con frecuencia, la gente pisa a las rayas y son picadas.

SUPERVIVENCIA: 95%

Las rayas han matado personas, pero eso ocurre raramente.

La raya es un tipo de pez emparentado con los tiburones. "Vuelan" bajo el agua moviendo sus amplias aletas. Las rayas látigo son un grupo de rayas que tiene un gran aguijón venenoso en la cola. Si la raya se siente amenazada, puede mover el aguijón hacia arriba rápidamente. Si pisas una raya o si nadas muy cerca por encima de ella, te podría clavar el aguijón e inocularte el veneno. La picada duele mucho, pero no es muy peligrosa generalmente.

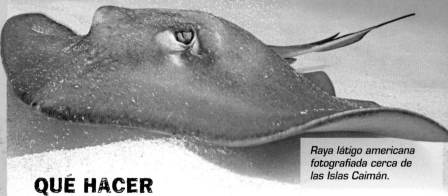

Raya látigo americana fotografiada cerca de las Islas Caimán.

QUÉ HACER

TEN CUIDADO EN EL AGUA:

Las rayas látigo viven en las aguas cálidas de los mares tropicales, cerca de las costas, y a veces en ríos. Si vas a nadar, bucear o jugar en esas aguas, mira a tu alrededor para ver si hay rayas látigo.

SI TE PICA UNA RAYA LÁTIGO:

Casi todas las picadas son en los pies o en las manos. Sal del agua y ve al hospital, pues puedes tener fragmentos del aguijón clavados bajo la piel. El agua tibia alivia el dolor. Ponte una venda para detener el sangramiento si es necesario. Si la picada fue en la cara o el cuerpo, puede ser más peligrosa. No saques el aguijón, pues podría aumentar el sangramiento. El veneno casi nunca mata, pero la herida de la picada puede ser peligrosa.

CONSEJO Las rayas látigo muchas veces descansan en el fondo del mar y son difíciles de ver. Arrastra los pies por la arena al avanzar para no pisarlas. Así la raya te sentirá acercarte y se quitará.

SERPIENTE DE MAR

La mayoría de las serpientes vive en la tierra, pero algunas viven en el mar. Tienen el mismo aspecto que las otras, excepto que su cola es plana como un remo. Muchas serpientes de mar son venenosas, y su veneno es más fuerte que el de las de tierra. En general, evitan a los seres humanos, pero si quedan atrapadas en una red o llegan a las aguas bajas y alguien las pisa, pueden atacar.

PELIGRO

FACTOR DE RIESGO:
Si no trabajas en un barco de pesca, no es probable que veas una serpiente de mar.

SUPERVIVENCIA: 90%
No siempre que una serpiente de mar muerde inocula su veneno, y si sucede, hay antídotos.

QUÉ HACER

SI VES UNA SERPIENTE DE MAR:
Podrías ver una serpiente de mar mientras buceas o si una tormenta la arrastra a la orilla de la playa. Aléjate. A veces las serpientes de mar siguen a los buzos para mirar sus equipos. Probablemente no quiera morderte, pero es mejor ser prudente.

SI TE MUERDE UNA SERPIENTE DE MAR:
Quizás no sientas la mordida al principio, pero si la serpiente te inocula veneno, pronto comenzarás a sentir dolor de cabeza y un malestar general. Sentirás calambres y dolores en los músculos. Te irás sintiendo cada vez más cansado, y quizás tengas problemas para respirar. Busca ayuda inmediatamente. Hay un antídoto que puede evitar los peores efectos del veneno.

NARIZ CERRADA
Las serpientes de mar no pueden respirar bajo el agua: tienen que salir a la superficie en busca de aire. Cuando se zambullen, cierran sus narices para que no les entre agua.

AVISPA DE MAR

La avispa de mar es la medusa más peligrosa del mundo. No hay cifras exactas, pero se cree que causa unas 50 muertes al año, en Australia y el Sudeste Asiático principalmente.

La avispa de mar es grande: su parte superior en forma de cubo puede medir hasta 25 cm (10 pulgadas) de ancho, y sus tentáculos hasta 3 metros (10 pies). Caza camarones y cangrejos, y si una persona se enreda en sus tentáculos, la pica también. Su picada deja cicatrices en la piel y puede detener tu corazón.

PELIGRO

FACTOR DE RIESGO: ☠ ☠ ☠ ☠
Es común encontrar avispas de mar en Australia y Asia.

SUPERVIVENCIA: 70%
La picada no siempre es mortal, y hay tratamientos y un antídoto para las víctimas.

QUÉ HACER

SÉ PRECAVIDO:
No nades en aguas donde hay avispas de mar en la estación de las medusas (la estación de lluvias, de octubre a marzo). Donde hay avispas de mar, usualmente se ponen avisos. Si vas a nadar de todas formas, no vayas solo. También puedes protegerte poniéndote ropas ligeras o un traje acuático.

¿LO SABÍAS?

Algunas picadas de medusa pueden ser tratadas con orine. Pero eso no funciona con las picadas de las avispas de mar.

SI TE PICA UNA AVISPA DE MAR:
La picada duele mucho. Pide ayuda y llama una ambulancia. Échate vinagre en la picada (en las playas donde hay avispas de mar a veces tienen vinagre a mano para estos casos). Si tienes tentáculos pegados, quítalos con un palo. Mantén la calma hasta que te vea el médico.

PULPO DE ANILLOS AZULES

El "pico" del pulpo de anillos azules puede penetrar un traje acuático.

El pulpo de anillos azules es mucho más pequeño que la mayoría de los pulpos: cabría en tu mano. Sin embargo, es una de las criaturas marinas más peligrosas, pues su picada venenosa puede matar a una persona. Su veneno paraliza los músculos, lo que impide la respiración. No hay antídoto para su veneno. Lo único que se puede hacer es ayudar a la víctima a respirar hasta que el veneno salga de su cuerpo.

PELIGRO

FACTOR DE RIESGO: ☠ ☠
Los pulpos de anillos azules sólo te picarán si los tocas o los pisas.

SUPERVIVENCIA: 90%
Sobrevivirás si te das cuenta de que te ha picado y actúas rápidamente.

¿LO SABÍAS?

Los pulpos cambian de color con más facilidad que los camaleones. Y algunos cambian también su forma para simular ser algas, rocas u otros animales.

QUÉ HACER

NO LO TOQUES:
El pulpo de anillos azules habita en Australia y la región occidental del Pacífico, entre las rocas o cerca de las costas. Nunca toques ningún pulpo pequeño que te encuentres en la playa, incluso si no tiene anillos azules. Recuerda que cambian de color para confundirse con el entorno y los anillos sólo aparecen cuando está asustado.

SI TE ATACA:
Para sobrevivir necesitarás ayuda, así que no vayas solo a la playa. La picada quizás no duela, pero pronto comenzarás a sentir el entumecimiento alrededor de la boca y se te hará difícil respirar. Habrá que llamar una ambulancia enseguida. Acuéstate y no muevas la parte del cuerpo donde está la picada mientras esperas. Necesitarás que alguien te dé respiración boca a boca.

PELIGROS

Desde que los seres humanos estamos en la Tierra, hemos construido millones de edificios, carreteras, ferrocarriles y otros medios de transporte. En general, esas máquinas son útiles y seguras, pero a

HUMANOS

veces pueden ser peligrosas. Aquí verás qué hacer si tu paracaídas no se abre, tu barco se hunde, o quedas atrapado en un edificio en llamas, un fonicular descompuesto o un submarino hundido.

SE HUNDE EL BARCO

Los barcos grandes y los transbordadores son muy seguros. Como los aviones, son más seguros que un auto, una bicicleta o ir a pie. Pero cualquier barco se puede hundir si, por ejemplo, choca con un iceberg o lo inunda una ola gigante. En una situación así, deberás mantener la calma y seguir las instrucciones que te den.

En 1952, el capitán Henrik Carlsen se quedó en su barco escorado, el Flying Enterprise, por siete días.

PELIGRO

FACTOR DE RIESGO: ☠ ☠
Los barcos son muy seguros, pero cada año se hunden algunos.

SUPERVIVENCIA: 95%
Hay equipo de emergencia y técnicas diseñadas para protegerte si tu barco se hunde.

CONSEJO Si te mojas, quítate la ropa mojada y ponte algo seco, aunque sea un abrigo en harapos. La ropa mojada te hace perder el calor del cuerpo rápidamente.

QUÉ HACER

SI EL BARCO SE HUNDE:
Sigue las instrucciones de la tripulación: ellos saben qué hacer si el barco se hunde. Pedirán ayuda y pondrán a todos en los botes salvavidas. Mientras tanto, abrígate bien y ponte un chaleco salvavidas.

ABANDONAR EL BARCO:
Mantén la calma: no pelees por meterte en el bote salvavidas. Todos caben. Si eres fuerte, ayuda a los niños, enfermos o ancianos a ponerse los chalecos salvavidas y subir a los botes. Sube tú con cuidado y sé precavido.

EN EL BOTE SALVAVIDAS:
Cuando un barco se hunde, puede arrastrar muchas cosas consigo al fondo del mar. Una vez que esté lleno el bote salvavidas, aléjense del barco. Manténgase sentados y abrácense para protegerse del frío.

SUBMARINO HUNDIDO

Estar a gran profundidad bajo el agua es peligroso por dos motivos: en primer lugar, no podemos respirar bajo el agua, por eso los que van en un submarino o sumergible (submarino pequeño) dependen del suministro de aire que llevan. Y en segundo lugar, cuanto más hondo vas, más presión ejerce el agua sobre ti. En la profundidad del océano, la presión del agua podría matarte en un instante.

QUÉ HACER

PIDE AYUDA:

A no ser que el submarino esté en muy mal estado, será posible pedir ayuda a tierra e informar el lugar donde están.

AHORRA OXÍGENO:

Mientras esperas, trata de no hacer nada. Cuanto menos hagas, menos aire gastarás. Siéntate o acuéstate, abrígate y conversa, lee o duerme.

MANTÉN LA ESPERANZA:

Estar atrapado en un lugar muy pequeño puede causarte pánico. Debes mantener la calma y el buen ánimo. Traten de ayudarse y animarse entre todos, hablen de sus planes para el futuro y canten canciones para pasar el tiempo entretenidos y en calma.

PELIGRO

FACTOR DE RIESGO: ☠

Muy pocas personas se hallan alguna vez en esta situación.

SUPERVIVENCIA: 40%

La única forma de sobrevivir es ser rescatado a tiempo.

Los submarinos están construidos para resistir grandes presiones.

RESCATE CON ROBOT

En el año 2005, un minisubmarino ruso quedó atrapado al enredarse sus hélices en mallas de pesca. Se usaron vehículos robots con control remoto para cortar las redes. Tras tres días bajos el agua, los siete miembros de la tripulación fueron rescatados. Les quedaba aire para sólo seis horas.

ATRAPADO EN UN AUTO QUE SE HUNDE

Cuando viajas en auto, estás en una jaula protectora fuerte, y vas atado para mayor seguridad. Sin embargo, si el auto cae al agua, esas medidas de seguridad se vuelven peligrosas. Si el auto se va a hundir, debes salir enseguida. No trates de sacar nada: concéntrate en hacer que todo el mundo salga del auto antes de que se hunda.

QUÉ HACER

SAFA EL CINTURÓN:

Si el auto se sale de la carretera y cae al agua, tu cinturón de seguridad amortiguará el golpe. Pero tan pronto el auto se detenga, haz que todos se lo quiten. Revisa los asientos de niños también.

ABRE UNA VENTANA:

La presión del agua hará casi imposible abrir las puertas. Abre una ventana completamente y sal por ella. Si las ventanas son eléctricas y no funcionan, rompe el vidrio con tu pie o con algún

PELIGRO

FACTOR DE RIESGO: ☠ ☠
No es común que un auto caiga en aguas profundas, pero manejar sobre hielo aumenta el riesgo.

SUPERVIVENCIA: 70%
Muchas veces es posible escapar, pero es una situación muy peligrosa.

objeto pesado. Ten cuidado con los vidrios rotos.

SI NO PUEDES ABRIR LAS VENTANAS DEL AUTO:

Espera a que el auto se llene de agua. Cuando esté casi lleno y quede poco aire dentro, respira profundamente y aguanta el aire en tus pulmones. Entonces podrás abrir la puerta y escapar.

> **CONSEJO** Cuando salgan del auto, únanse y manténgase a flote hasta recuperar el aliento. Entonces comiencen a gritar para pedir ayuda o a nadar hacia la orilla.

Serio peligro: Este auto se volcó en una fuerte corriente de agua.

AUTO SIN FRENOS

Los autos van a gran velocidad por las autopistas. Cuanto más rápido van, más se demoran para detenerse.

Los frenos son para desacelerar y detener los autos, camiones, autobuses y otros vehículos. Usamos los frenos para parar en un semáforo, doblar o evitar choques. Si los frenos no funcionan y el auto no puede parar, estarás en peligro de chocar. Por eso todos debemos saber qué hacer. Incluso si aun no manejas, es bueno saberlo.

PELIGRO

FACTOR DE RIESGO: ☠ ☠
Los frenos están diseñados para no fallar, pero a veces eso sucede.

SUPERVIVENCIA: 90%
Si el chofer mantiene la calma podrá detener el auto de una manera segura.

QUÉ HACER

REVISA EL PEDAL:
A veces los frenos no funcionan porque una botella de agua u otro objeto se trabó bajo el pedal de freno. Trata de sacarlo con el pie para destrabar el pedal. Sigue tratando de usar el pedal de freno, pues podría volver a funcionar. Comprueba enseguida que todos en el auto tengan puestos sus cinturones de seguridad.

EVITA EL PELIGRO:
Aléjate de los autos que vienen de frente para no chocar. Haz señales y muévete con cuidado a un lado de la carretera, observando si hay algún peatón en tu camino.

BUSCA ALGO PARA FRENAR:
Si no vas muy rápido, menos de 60 kph (40 mph), usa el freno de mano para desacelerar el auto. También puedes seguir en el carro por la cuneta o llevarlo cuesta arriba por una colina si no es muy peligroso. Si vas por el campo, sal de la carretera y vete hacia una zona de pasto o lodo.

CONSEJO Cuando el auto se detenga, haz que todos salgan inmediatamente y vayan a un lugar seguro mientras tú esperas por ayuda.

NO SE ABRE EL PARACAÍDAS

PELIGRO

FACTOR DE RIESGO: ☠
No muchas personas hacen paracaidismo, y casi siempre el paracaídas se abre como debe.

SUPERVIVENCIA: 95%
Mantén la calma y usa el paracaídas de emergencia para salvarte.

En los inicios del paracaidismo, frecuentemente los paracaídas no abrían o se enredaban. Los paracaídas modernos son muy seguros y casi nunca fallan. Si el tuyo fallara, tendrías aun el paracaídas de emergencia para salvarte.

QUÉ HACER

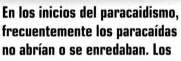

SI TU PARACAÍDAS NO SE ABRE:
Mantén la calma. Recuerda lo que aprendiste durante el entrenamiento y sigue el procedimiento que te enseñaron para abrir tu paracaídas de emergencia.

SI EL DE EMERGENCIA FALLA TAMBIÉN:
Esto es muy poco común, pero puede suceder. Sería una mala noticia, pero hay personas que han sobrevivido en situaciones semejantes. Puedes frenar un poco la caída abriendo los brazos y los pies. Tendrás más posibilidades de sobrevivir si caes sobre arbustos, árboles, nieve o terreno suave o recién arado.

PÍDELE A ALGUIEN QUE "TE LLEVE":
Si tienes problemas con el paracídas, podrías unirte a otro paracaidista y compartir su equipo. Tendrán que atarse uno al otro para mantenerse unidos, y podrían sufrir lesiones al llegar a tierra.

¿LO SABÍAS? Algunos paracaídas tienen un sistema de seguridad que detecta si estás muy cerca del suelo o vas cayendo muy rápido y abre el paracaídas de reserva automáticamente.

ATRAPADO EN UN TELEFÉRICO

PELIGRO

FACTOR DE RIESGO: ☠ ☠
Los teleféricos casi nunca sufren accidentes catastróficos.

SUPERVIVENCIA: 80%
Lo más frecuente es que el carro se quede atascado y vengan a rescatarte.

Un teleférico sobre el cañón del río Fraser en Canadá.

Los teleféricos se usan para subir y bajar esquiadores, alpinistas y turistas por las laderas de las montañas. Los pasajeros van en un carro que sube y baja colgado de un cable. Hay miles de sistemas de teleféricos en todo el mundo, y muy pocas veces tienen accidentes. Pero por supuesto, es posible que un teleférico tenga un accidente.

CAÍDA DE UN TELEFÉRICO

En el 2005, en Soelden, un pueblo de Austria, un teleférico se cayó cuando un helicóptero, a causa de una falla, dejó caer sobre él el concreto que llevaba.

QUÉ HACER

SI EL TELEFÉRICO DONDE VAS SE DETIENE:

¡No hagas nada! No te pongas nervioso ni te asomes por las ventanas. No intentes salir para escapar. Siéntate (si no hay asientos, en el suelo) y mantén la calma. Puedes pedir ayuda por el celular, pero lo más probable es que en el centro de control del teleférico ya sepan que hay problemas.

SI HAY VIENTOS FUERTES:

Los teleféricos pueden fallar y detenerse cuando hay mucho viento. El carro podría mecerse y estremecerse. Quédate sentado y agárrate de algún objeto fijo. Si el carro resbala por el cable y choca con otro o se cae del cable, agárrate bien para amortiguar el impacto.

EN UN EDIFICIO EN LLAMAS

Cada año miles de personas mueren en incendios que ocurren en sus casas u otros edificios. Algunos son causados intencionalmente, pero la mayoría de los incendios son accidentales. Un cigarrillo, una vela, una cocina que se deja encendida o una falla eléctrica pueden causar un fuego. Incluso los incendios más pequeños pueden expandirse rápidamente y ser muy peligrosos.

QUÉ HACER

SI VES FUEGO:

Aléjate del fuego, sal de la habitación y cierra la puerta. Avisa a todos para que salgan. Si hay una alarma de fuego, hazla sonar. Aléjate del edificio y llama a los bomberos.

SI QUEDAS ATRAPADO EN UN EDIFICIO EN LLAMAS:

Aléjate de las llamas y cierra la puerta al salir de una habitación hacia otra para retrasar la expansión del incendio. Si puedes usar el teléfono sin correr riesgos, llama a los bomberos. Vete a una habitación con ventanas, abre una si puedes y grita para pedir ayuda. No trates de bajar por ella a no ser que estés a poca altura. Si hay humo en el cuarto, acércate a la ventana y acuéstate en el suelo, pues el humo y el calor ascienden.

PELIGRO

FACTOR DE RIESGO: ☠ ☠ ☠ ☠
Los incendios son un peligro común para cualquier edificio. Las alarmas de fuego salvan vida: instala una.

SUPERVIVENCIA: 90%
Mantener la calma, pedir ayuda y salir rápidamente del lugar son pasos que te ayudarán a sobrevivir.

CONSEJO

Si estás atrapado en un edificio en llamas, puede parecerte buena idea romper las ventanas, pero trata de no hacerlo. Los vidrios podrían caerles encima a los bomberos u otras personas y causarles graves heridas.

CABLES ROTOS

En casi todos los lugares hay altos postes con cables que conducen electricidad. La electricidad de alto voltaje es peligrosa, pero normalmente está fuera de nuestro alcance. Sin embargo, el viento, una tormenta, un terremoto o un helicóptero o avión accidentado, pueden romper los cables y hacerlos caer. Si esos cables tienen electricidad, como a veces sucede, son muy peligrosos.

QUÉ HACER

SI VES UN CABLE ELÉCTRICO CAÍDO:

En primer lugar, no te acerques ni lo toques. A veces los cables caídos producen chispas y se mueven solos, así que mantente a buena distancia. Incluso si el cable parece no tener electricidad, por precaución, no te acerques a él.

SI UN CABLE ELÉCTRICO CAE SOBRE TU AUTO:

La electricidad puede pasar por todas las partes metálicas del auto. Quédate dentro sin tocar las puertas y pide ayuda.

PELIGRO

FACTOR DE RIESGO: ☠ ☠ ☠
Los cables eléctricos son un peligro cuando hay tormentas.

SUPERVIVENCIA: 95%
Si no te acercas a los cables caídos, no tendrás problemas.

SI UN CABLE ELÉCTRICO CAE SOBRE ALGUIEN:

Debes quitarle el cable de encima, pero no vayas a tocar el cable ni a la persona. Usa un objeto de madera o plástico (un palo o un cono de tráfico), para quitarlo. Luego, hala a la persona a un sitio seguro y llama una ambulancia.

En julio de 2005, el huracán Dennis derribó muchos postes eléctricos en Cuba. Pasar por las calles mojadas en esa situación es muy peligroso.

CAÍDA EN EL POZO DE UNA MINA

PELIGRO

FACTOR DE RIESGO: ☠ ☠ ☠
Los pozos de minas son peligrosos, pero es poco probable caerse en uno.

SUPERVIVENCIA: 30%
Caerse en un pozo de mina profundo puede ser mortal.

Entrada de un pozo de mina abandonado en Somerset, Inglaterra.

Un pozo de mina es un hoyo profundo y estrecho en el suelo que lleva hasta una mina subterránea. En las minas grandes y activas, las entradas a los pozos de mina están rodeadas por edificios y barreras de protección, por lo que usualmente no son un peligro. Los más peligrosos son los pozos de minas abandonadas en medio del campo, sobre todo los más pequeños y antiguos.

QUÉ HACER

SI CAES POR EL POZO DE UNA MINA:
Muchos pozos de minas abandonadas están cubiertos de hierbas, así que si sientes que te caes, agárrate de las plantas que veas y trata de salir. Pero si te caes, cúbrete la cabeza y ten la esperanza de que el hoyo no sea muy profundo.

EN EL FONDO:
Si estás consciente, es una buena señal. Despacio y con cuidado (puedes estar herido), trata de ir hacia una de las paredes del hoyo para no estar justo debajo de la entrada. Así, si alguien más cae, no te caerá encima a ti. Además, los rescatadores podrían desprender rocas al entrar en el pozo para sacarte. Usa tu teléfono celular o grita para pedir ayuda.

CUÍDATE DEL AGUA
Algunos pozos de mina tienen agua en el fondo. Si hay agua en el pozo donde has caído, trata de alejarte de ella.

¿ES PROFUNDO?

Los pozos de mina antiguos, donde caen las personas usualmente, tienen unos 20 m (60–70 pies) de profundidad. Pero hay pozos de hasta 100 m (330 pies) o más, es decir, como un edificio de 30 pisos.

EN UN ELEVADOR DE GRANOS

Los granos que comemos no parecen peligrosos, pero en las granjas pueden ocurrir accidentes graves mientras se almacenan y transportan grandes cantidades de granos.

Un elevador de granos es un recipiente inmenso que puede tener varios pisos de alto. Si entras en un elevador, puedes quedar atrapado. El movimiento de los granos puede llevarte hacia el fondo y sofocarte.

QUÉ HACER

NO TE ACERQUES:
No te acerques a los elevadores de granos u otras instalaciones semejantes a no ser que trabajes con ellos y sepas qué hacer.

SI TE CAES EN EL GRANO:
Si el grano no se está moviendo, podrás pararte sobre él sin hundirte. Quédate cerca de la pared del elevador, a veces en el centro del mismo se forman "puentes" de granos que dejan vacíos. Podrías caer en uno y quedar cubierto por el grano. Mantén la calma y pide ayuda.

PELIGRO

FACTOR DE RIESGO: ☠ ☠
Es un riesgo en las granjas. No te acerques a los elvadores de granos.

SUPERVIVENCIA: 50%
Los accidentes en elevadores de granos suelen ser graves.

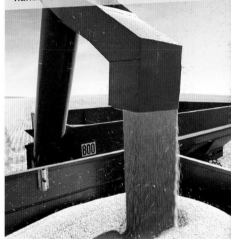
Cuando se vierten granos puedes hundirte en ellos como si fuera agua.

SI TE HUNDES EN EL GRANO:
Si el grano se está moviendo te puedes hundir en él y quedar inmovilizado bajo su peso. O podría cubrirte si caes en uno de los vacíos que se forman. También si te cae encima una carga de grano. Si sucede algo así, mantén la calma y tápate la cara con las manos para crear un espacio para respirar.

CONSEJO Si tú u otra persona quedan enterrados en el grano, no pierdas las esperanzas. Se puede sobrevivir varias horas así, lo que se necesita es un espacio para respirar.

DERRUMBE DE UN PUENTE

Al diseñar puentes, los científicos, ingenieros y arquitectos calculan con mucho cuidado la resistencia, la forma y el tamaño que deben tener estos y con qué materiales se deben construir. Pero todo puede fallar. Un error de diseño o construcción, un fenómeno climático, el exceso de peso o los daños causados por el uso y el tiempo, pueden hacer que un puente se derrumbe.

En 2007, un puente de Nanhai, China, se derrumbó cuando un barco chocó contra él.

PELIGRO

FACTOR DE RIESGO: ☠
Cada rato ocurren derrumbes de puentes, pero es poco probable estar allí en ese momento.

SUPERVIVENCIA: 70%
A veces los puentes se derrumban lentamente, dando tiempo a todos para escapar.

QUÉ HACER

ALÉJATE DE PUENTES EN CONSTRUCCIÓN:

Los derrumbes son más frecuentes durante la construcción de puentes. Como precaución, no te acerques ni pases por debajo de puentes en construcción.

SI UN PUENTE SE AGRIETA O SE ESTREMECE:

Antes del derrumbe de un puente, puede haber señales que lo anuncien. A veces se agrieta, se balancea, se dobla o se quiebra. Si ves o escuchas cualquiera de estas cosas, sal o aléjate del puente enseguida. Algunos han sobrevivido el derrumbe de un puente abandonando el auto y corriendo para salir del puente. Dependiendo del tráfico, deberás decidir si es más rápido salir del puente a pie o en el auto.

SI EL PUENTE SE DERRUMBA:

Si estás a pie, trata de agarrarte de un cable o baranda, pues es posible que no caiga. Si estás dentro del auto, debes mantener puesto el cinturón de seguridad e inclinarte hacia adelante para protegerte de los fragmentos de vidrios que puedan caerte encima.

CONSEJO Cuando caigas al suelo o al agua, aléjate del puente lo antes posible, pues te podrían caer encima vehículos o pedazos del puente destruido.

CAÍDA DE UN AVIÓN

Muchas personas tienen miedo a viajar en avión. Sin embargo, ¿sabías que los aviones son muy seguros? En un avión corres menos riesgo que en tu auto o en tu casa. Incluso en casos de accidente, la mayoría de los pasajeros sobrevive. Algunos ocurren en la pista, y casi todos los pasajeros logran escapar. Otros ocurren en el aire y el piloto logra hacer un aterrizaje de emergencia.

Este avión se salió de la pista y se incendió en Toronto en 2005. Los 309 pasajeros sobrevivieron el accidente.

PELIGRO

FACTOR DE RIESGO: ☠
Hay muy pocas probabilidades de estar en un avión accidentado.

SUPERVIVENCIA: 90%
Parece increíble, pero más del 90% de las personas que viajan en aviones sobreviven a los accidentes.

QUÉ HACER

¡PREPÁRATE!

Si el piloto dice "¡Prepárense!", significa que debes inclinarte hacia adelante, poner tu cabeza sobre las rodillas o contra el asiento de delante. Esta posición te ayudará a mantenerte en tu sitio y te protegerá de golpes en caso de desastre.

SAL INMEDIATAMENTE:

Escucha las instrucciones de la tripulación. Cuando el avión se detenga, sal, pues podría incendiarse. Quítate el cinturón de seguridad (recuerda que no funciona igual que el del auto) y vete a la salida más cercana. Si el avión está en llamas, arrástrate por el suelo hasta la salida, para protegerte del calor, el humo y los gases.

DESPUÉS DE SALIR DEL AVIÓN:

Sigue las instrucciones de la tripulación para bajar por la rampa de emergencia. Revisa tu cuerpo: con el nerviosismo, es posible que no hayas notado las heridas. Aléjate del avión y siéntate a esperar a los rescatadores.

> **CONSEJO** Si planificas tu salida al subir al avión, tienes más posibilidades de sobrevivir a un accidente. Cuenta los asientos hasta la salida, para poder encontrarla en la oscuridad.

AGRADECIMIENTOS

Páginas: 1 Photodisc; 2–3 Yellowstone National Park, Corbis/Tim Davis; 4–5 Corbis/Meijert de Haan/EPA; 6–7 Corbis/Fabrice Coffrini; 8–9 Corbis/Michael S. Yamashita; 10–11 Photodisc; 12 Lyn Topinka/USGS, inset Corbis/Bettmann Archives; 13 Rex/Sipa Press; 14 FLPA; 16 Corbis/TWPhoto; 17 Reuters/Stringer; 18tl David Rydevik; 18tr Nature/Photodisc;18br Corbis/Ashley Cooper; 19tr Science Photo Library/David A Hardry/Futures; 20 BBC Photo Library, London; 21 Corbis/Ralph A. Clevenger; 21b Corbis/Lake County Museum; 22 Corbis/Michael Hanschke/dpa; 23t Corbis/Mike Theiss/Ultimate Chase; 23b Corbis/Reuters; 24t Rex Features/RS/Keystone USA; 24b Corbis/Bettmann Archives; 25 Rex Features; 26 Corbis/Thierry Orban; 27 Corbis/ Layne Kennedy; 28 Yellowstone National Park; 29 Corbis/Simela Pantzartzi/EPA; 30 Corbis/Tony Arruza; 31 Corbis/Jim Zuckerman; 32 Getty Images/Martin Baumann/AFP; 33 Corbis/Larry W. Smith/EPA; 34 Corbis/Eric Nguyen; 35 Corbis; 35 Corbis/Chris Collins; 36 Corbis/Michael Freeman; 37 Corbis/Andrew Brown/Ecoscene; 38 Corbis/Carol Hughes/Gallo Images; 39t Corbis/Meijert de Haan/EPA; 39b Corbis/Chris Hellier; 40 Corbis/Scott Stulberg; 41 Nebojsa Kovacevic; 42 Corbis/Jenifer Brown/Star Ledger; 43 Corbis/Karen Kasmauski; 45 Corbis; 46 Corbis/Galen Rowell; 47 Corbis/Jerome Minet/Kipa; 48 Corbis/Ashley Cooper; 49t Corbis/Uli Wiesmeier, 49b Corbis/Charlie Munsey; 50 Corbis/SYGMA; 51 Corbis/Tobias Bernhard/Zefa/Corbis; 52 Kaj Sorensen; 53 Corbis/Momatiuk–Eastcott; 54 Nature/Pete Oxford; 55 Corbis/John Van Hasselt; 58t Corbis/Peter Johnson; 58b Corbis/Ryan Pyle; 59 Nature/Photodisc; 60t Corbis/Darren Staples/Reuters; 60b Corbis/Karen Kasmauski; 61t Corbis/Christopher Morris; 61b Nature/Photodisc; 62 Corbis/Tom Bean; 63 Corbis/Galen Rowell; 64 Corbis/Kevin Schafer; 65 Corbis/John Carnemolla; 67b Corbis/Joe McDonald; 68 Corbis/Martin Harvey; 69 Corbis/Martin Harvey; 70t Photodisc; 71 Corbis/Theo Allofs; 72t Corbis/Gary W. Carter; 72b Corbis/Joe McDonald; 73 Corbis/Buddy Mays; 74t Rex Features/Karen Paolillo; 74b Corbis/Arthur Morris; 75t Rex Features/Sipa Press; 76 Rex Features/DPPI; 77 Corbis/Tim Davis; 78 Rex Features/James D. Morgan; 79 FLPA/David Hosking; 80t Photodisc; 80b Yellowstone National Park; 81t Corbis/Renee Lynn; 82 Photodisc; 83 Photodisc; 84 Corbis/Frank Lukasseck; 85 Rex Features/Nature Picture Library; 86 Corbis/Lothar Lenz; 87 Rex Features/Patrick Frilet; 89 Corbis/Kevin Schafer; 90 Rex Features/Nature Picture Library; 91 Rex Features/CDC/Phanie; 93t Science Photo Library/Peter Scoones; 93b Corbis /Reuters; 94 Rex/Jo Mahy/Splashdown Direct; 95 Rex Features/Nature Picture Library; 96 Rex Features/Nature Picture Library; 97 Corbis/Jeffrey L. Rotman; 98–99 Corbis/Zefa/Markus Moellenberg; 100 Corbis/Bettmann; 101 Rex Features; 102 Rex Features/Ken McKay/Andrew Murray; 103 NPS photo/Harlan Kredit; 104t Rex Features/DPPI; 105t Corbis/Paul A. Souders; 105b Getty Images/AFP/Johannes Simon; 106 Corbis/Bill Stormont; 107 Corbis/Alejandro Ernesto; 108 Rex Features/Bob Bowen; 109 Photodisc; 110 Rex Features/Sipa Press; 111 Rex Features/Keystone

Ilustraciones

Pages: 15 Gill Tomblin/Simon Gurr; 19b Nick Tibbott; 27b Cecilia Bandiera; 44 Gill Tomblin/Simon Gurr; 53b Nick Tibbott; 56-57 Gill Tomblin/Simon Gurr; 64 Joanne Cowne; 66t Alan Male; 66b Gill Tomblin/Simon Gurr; 67a Alan Male; 70b Gill Tomblin/Simon Gurr; 75 Gill Tomblin/Nick Tibbott; 81 Nick Tibbott; 88 Alan Male; 92 Gill Tomblin/Nick Tibbott; 95 Alan Male; 104b Simon Gurr

Walla Walla County Libraries